CONFUSÕES de UM GAROTO

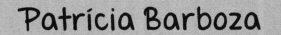

Patrícia Barboza

CONFUSÕES de um GAROTO

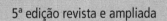

5ª edição revista e ampliada

Rio de Janeiro-RJ / Campinas-SP, 2018

VERUS
EDITORA

Editora: Raïssa Castro
Coordenadora editorial: Ana Paula Gomes
Copidesque: Anna Carolina G. de Souza
Revisão: Raquel de Sena Rodrigues Tersi
Capa e projeto gráfico: André S. Tavares da Silva
Imagem da perna cruzada na capa: Yeko Photo Studio/Shutterstock

ISBN: 978-85-7686-509-4

Verus Editora Ltda.
Rua Benedicto Aristides Ribeiro, 41, Jd. Santa Genebra II, Campinas/SP, 13084-753
Fone/Fax: (19) 3249-0001 | www.veruseditora.com.br

CIP-BRASIL. CATALOGAÇÃO NA FONTE
SINDICATO NACIONAL DOS EDITORES DE LIVROS, RJ

B211c
5. ed.

Barboza, Patrícia, 1971-
   Confusões de um garoto / Patrícia Barboza. - 5. ed. rev. e ampl. - Campinas, SP : Verus, 2018.
   21 cm.

   ISBN 978-85-7686-509-4

   1. Ficção infantojuvenil brasileira. I. Título.

16-31944   CDD: 028.5
                                            CDU: 087.5

Revisado conforme o novo acordo ortográfico

Impressão e acabamento: Océ

AGRADECIMENTOS

Dois amigos me inspiraram com histórias e conversas muito divertidas e foram de uma generosidade incrível para que eu pudesse mergulhar no "universo masculino" durante o processo de escrita.

Kau Mascarenhas, você não faz ideia de como me ajuda com suas palavras. Você espantou minhas incertezas diversas vezes, me trazendo ânimo e alegria. Ao compartilhar seus conhecimentos, você ilumina não só a sua estrada, mas a de milhares de pessoas que tiveram a sorte de te conhecer.

Landulfo Almeida, companheiro de muitas bienais e eventos literários. Obrigada pelo incentivo incondicional, pela disponibilidade e pelo sorriso sincero de sempre. Escrever e ter a iniciativa de divulgar a literatura nacional faz de você uma pessoa mais incrível ainda. Sucesso na sua jornada!

PRÓLOGO

nfim eu tinha arrumado todas as minhas coisas no armário. Até que meu novo quarto tinha ficado legal. Tudo bem que não havia nada tão diferente assim. Foi só trazer as minhas coisas do apartamento antigo para o novo. O que muda é que agora a cama fica mais perto da janela e a escrivaninha num lugar mais confortável. Eu vivia com o joelho arranhado e roxo por causa das batidas que dava no pequeno espaço entre a mesa e a lateral do armário.

— Mãe, já terminei de arrumar as coisas aqui. Posso descer para dar uma olhada no playground?

— Pode, filho. Veja se encontra um amigo para brincar.

— E se só tiver gente chata aqui, mãe? — Eu estava preocupado.

— Tenho a sensação de que você vai encontrar alguém muito legal e fazer uma grande amizade. Seus amigos não vão desaparecer, fique tranquilo. Só estão em outro endereço agora, a dois quarteirões de distância. Vai poder chamá-los para vir aqui. Mas é sempre bom conhecer gente nova.

— Tá bom... — Soltei um longo suspiro.

Peguei o elevador e apertei o botão que ia direto para o playground. Eu até poderia descer dois lances de escada, afinal agora estávamos no terceiro andar. Mas eu gosto de elevador, de ficar pra cima e pra baixo, apertando todos os botões. Cansei de levar bronca por causa disso. A síndica do meu antigo prédio vivia pegando no meu pé. Não era difícil alguém entrar no elevador e todos os botões estarem acesos! E, comigo lá dentro, estava muito na cara que eu tinha feito aquilo. Apesar das broncas e dos castigos — já que a síndica me dedurava para os meus pais —, era divertido. Poxa, eram doze andares! Esse aqui só tem seis. Bela porcaria. Acabou a minha diversão.

O playground até que era grande. Na parte de trás, alguns brinquedos para crianças menores, um salão de festas, uma quadra poliesportiva e bancos espalhados por todos os cantos. Dei uma volta por ali e não encontrei ninguém. Zero pessoa. Zero barulho. Nem uma alma penada. Era sábado à tarde, deveria ter alguém pelo menos jogando uma bolinha. Mas nada.

Sentei desanimado em um dos bancos com vista para a avenida principal. Bateu a maior saudade do prédio antigo. A essa hora, estaríamos brincando de morto-vivo, caça ao tesouro ou jogando pingue-pongue. Não sei por quanto tempo eu fiquei olhando as fachadas dos prédios vizinhos e o vaivém dos carros, mas foi o suficiente para me sentir completamente sozinho. Tão sozinho que, quando senti um leve movimento no banco, tomei um tremendo susto.

— Oi! — Alguém se sentou perto de mim.

Olhei para o lado e era uma garota.

— Oi — respondi, num fiapo de voz.

Sempre tive vergonha de falar com garotas. Depois que eu conheço, tudo bem, mas assim, de cara? Quando eu desci para dar uma olhada no playground, foi para conhecer os garotos e jogar bola, ou alguma coisa assim. Não estava nos meus planos receber um oi tão sorridente de uma menina que nem conheço. O meu primeiro pensamento foi dar o fora dali, mas meus pés ficaram presos ao chão. Parecia que alguém tinha passado cola na sola dos meus tênis.

— Meu nome é Júlia. E o seu?

— Zeca. Mudei hoje pra cá.

— Eu sei. A gente estuda no mesmo colégio. Só que eu vou à tarde. Quer dizer, eu ia, até o ano passado, já que estamos de férias. Agora mudei para o turno da manhã. Eu já te conhecia de vista, mas não sabia seu nome. Sou amiga da sua prima Vanessa, que está na sua classe. Mas ela mudou de colégio, não foi? Agora eu é que vou estar na mesma classe que você. Legal, né?

Uau, como ela falava. E muito! Atropelava as palavras e mexia as mãos sem parar. Ela não era nada tímida, bem diferente de mim. Eu nunca tinha reparado nela, e ela me conhecia de vista?

— Então você tem onze anos também? A gente vai para o sexto ano.

— Ãhã. Você tá animado?

— Com o quê?

— Com o sexto ano, oras! — Ela revirou os olhos. — Com não chamar mais as professoras de tia e não ter mais que encapar livros e cadernos.

— Isso é mesmo um saco, né? — Tive que rir.

— Um saco gigante! — Ela abriu os braços de um jeito bem exagerado e acabou me dando uma cotovelada. — Ai, desculpa! Te machuquei? — A Júlia fez uma careta tão engraçada que não consegui segurar a gargalhada.

Enquanto eu massageava de leve o ombro por causa da cotovelada, ficamos calados por um tempo, observando o movimento da rua. Aos poucos fui me sentindo mais relaxado ao lado dela. Até porque ela não saía daquele banco, então não tive muita escolha.

— Esse prédio é sempre assim, Júlia? Vazio?

— Normalmente tem mais gente, mas hoje todo mundo sumiu. Mas não se anime muito. O pessoal aqui é mais velho e não dá muita bola pra gente, que é mais novo... Ah, já sei! Quer ir brincar em casa?

— Desculpa, mas brincar de boneca não é o meu forte...

— Afff... Garotos... — Ela cruzou os braços, com uma cara de brava. — Eu até gosto de boneca, mas não é só disso que as meninas brincam. Que mania de achar que tudo que é de menina é rosa, de boneca ou princesa. A gente gosta de mais coisas, viu?

O jeito dela era bem engraçado. Todas as meninas da minha turma gostavam exatamente do que ela tinha acabado de falar. Na festa do Dia das Crianças, em que todo mundo podia ir fantasiado, a maioria delas foi vestida de princesa.

— Então do que a gente vai brincar?

— Eu duvido que você me vença no videogame. Eu sou muito, mas muito boa nisso.

— Humpf! Essa eu quero ver! — Além de tagarela, a garotinha era metida.

— Preparado para chorar depois que perder para uma menina? — Ela ficou de pé e me estendeu a mão.

— Eu gosto de desafios! — Também me levantei e aceitei seu aperto de mão.

— Para um baixinho magrelo, até que seu aperto de mão é forte.

— Você é sempre assim? Fala o que vem na cabeça?

— Quase sempre. — Ela riu.

— Eu sei que sou baixinho e magrelo, não precisa jogar na minha cara.

— Desculpa.

— É a segunda vez que você me pede desculpa em menos de dez minutos. — Ri da cara que ela fez.

— Eu sou educada. E sincera. E falo demais. E dou cotovelada nas pessoas.

— Percebi. Só falta saber se é tudo isso no videogame.

— O último a chegar é a mulher do padre! — Ela disparou na direção do hall dos elevadores.

Pois é. Perdi para ela na primeira partida. A Júlia era mesmo muito boa no videogame. Mas, ao contrário do que ela falou, eu não chorei por ter perdido. Chorar por causa de jogo? Só na cabeça da Júlia mesmo. Na verdade, fiquei amarradão no jeito dela. E eu, que nunca tive muito assunto com as garotas, disparei a falar.

E nós passamos a fazer todos os trabalhos do colégio juntos, participamos dos acampamentos de férias, e, de vez em quando, a gente apertava todos os botões do elevador (mesmo ainda achando que seis é muito pouco). Daquele dia em diante, nos tornamos inseparáveis. Em tudo. Bom, até aquele verão, três anos depois do nosso primeiro encontro no playground...

O despertador já tinha tocado e eu não conseguia mexer um único músculo do meu corpo. Parecia que tinham passado cola nos meus olhos.

— José Carlos de Almeida Júniorrrrrrr!! Levanta já dessa cama! Agora!

Xiiii... Quando minha mãe me chama pelo nome completo e ainda carrega no "r" final, é porque não está de brincadeira. Com muito custo, eu levantei e me enfiei debaixo do chuveiro. Estava muito calor. E só um banho frio para me acordar e me fazer finalmente aceitar que as aulas recomeçariam. O Carnaval já tinha acabado, e, como dizem por aí, o ano só começa mesmo depois dele, então eu não tinha mais desculpa. Mas não dava para reclamar tanto assim. Para minha sorte, tinha sido quase no fim de fevereiro.

Quando voltei para o quarto depois do banho, eis a surpresa: minha mãe tinha deixado meu uniforme todo esticadinho em cima da cama. Coisa de mãe mesmo. Num momento de estresse, ela reclama que deixo meias sujas largadas no meio do caminho, mas no outro me agrada fazendo meu bolo favorito ou deixando minha roupa arrumada na cama.

Já fazia quase três meses que eu não via aquele uniforme do Centro de Estudos Integrados, o CEI... Quer dizer, não era bem aquele uniforme que deixei todo embolado em cima da máquina de lavar no fim de novembro, quando vi que tinha passado direto e não precisava mais ir para o colégio. É norma do CEI ter aulas em dezembro somente para quem ficou de recuperação. Essa era a grande vantagem de passar direto! Mas aquele uniforme na cama era outro, novinho em folha. Na semana anterior, a dona Marisa tinha me feito vestir o uniforme antigo para ver se ainda servia, e aconteceu uma coisa que eu já imaginava: não coube nem sonhando.

— Ahhhhh! Coisinha mais fofa da mamãe! — ela gritou, apertando minhas bochechas. E aí notou que, para fazer aquela coisa, que ela adorava e eu odiava, minha mãe teve de ficar na ponta dos pés. Sua expressão foi uma mistura de satisfação e mágoa, já que não alcançava as minhas bochechas com a mesma facilidade de antes.

— Ai, mãe, para com isso! — Massageei o rosto, contrariado.
— Esse negócio machuca, sabia? Bem em cima da espinha mais dolorida.

— Que orgulho! — Ela nem se deu conta da minha reclamação e continuou me apertando, só que os alvos agora eram meus braços. — Meu filhotinho cresceu, pegou corpo. Que diferença! O que um período de três meses não faz com uma pessoa, hein? As garotas do colégio vão ficar doidinhas com o novo Zeca.

Uma pergunta: Toda mãe fala usando o diminutivo? Tudo com "inho" ou "inha" no final?

Ah, sim! Eu prefiro mesmo que me chamem de Zeca. Antigamente era só alguém falar "José Carlos" que meu pai e eu olhávamos ao mesmo tempo. Foi então que inventei o apelido Zeca, justamente no meu aniversário de nove anos.

— E por que não Júnior, como sempre foi? — meu pai quis logo saber.

— Para ser um apelido só meu, minha marca registrada. Como os jogadores famosos — defendi a minha escolha. Apesar de contrariado, meu pai acabou se acostumando e passou a me chamar de Zeca também.

Dei mais uma olhada no novo uniforme e respirei fundo, criando coragem para o primeiro dia de aula. E, antes que a minha mãe visse, levei para o banheiro a toalha que eu tinha deixado em cima da cama. Ela simplesmente odeia quando eu faço isso. Joguei a coberta em cima da mancha molhada que tinha ficado no colchão para disfarçar. Então vesti o uniforme e fui para a cozinha tomar o café. E ali estavam as minhas irmãs, já mais do que acordadas. Estavam elétricas. Nunca vi tanta alegria num primeiro dia de aula. As férias estavam tão boas...

— O que foi que vocês duas tomaram? Não param de falar um segundo, parecem duas matracas! — protestei, enquanto colocava o achocolatado no leite.

— Lá vem o rabugento do Zeca! Ai, garoto, se liga! — Yasmin revirou os olhos. — Você ainda não entendeu que agora faz parte do clube dos mais velhos?

— Clube dos mais velhos? — Fiz a minha típica expressão de que-diabos-vocês-estão-falando, que uso quando se trata dos assuntos *sem noção* das minhas irmãs.

— Nono ano, maninho! A mulherada *ama* os garotos do nono ano. São os mais velhos do fundamental. Aliás, já está na hora de você arrumar uma namorada. — Yohana, para variar, se metendo na minha vida.

— Isso! E acabou essa história de só ficar! — dessa vez foi Yasmin quem falou. — Pode deixar que nós vamos arrumar uma garota ótima pra você.

— Que tal pararem com a fofoca e agilizarem a saída? Vou ser obrigada a levar vocês de carro, do contrário vou começar o ano assinando notificação de atraso de aula. Mas a moleza da carona é só hoje, hein? — Minha mãe foi logo acabando com o papinho intrometido das duas, mas notei que ela segurou o riso quando ouviu a conversa. Fazia tempo que a gente não tinha um café da manhã tão agitado.

Peguei minha mochila e me arrastei até o carro. Sentei no banco do passageiro, deixando o de trás para as minhas queridas e espaçosas irmãs gêmeas.

Yasmin e Yohana são dois anos mais novas que eu. São idênticas e fazem questão de ser assim em tudo. O que diferencia uma da outra é uma pinta perto da sobrancelha que só a Yasmin tem. De resto, quem não conhece bem as duas confunde totalmente. Além disso, elas não se desgrudam, fazem tudo juntas e fofocam o dia inteiro. Às vezes fico tonto de tanto que elas falam. Mas confesso que fico meio enciumado, porque eu também gostaria de ter um irmão para compartilhar coisas de homem. Além do mais, é muita mulher junta em casa! Contando com a minha mãe, são três! Absorventes no armário do banheiro? A coisa mais normal do mundo. Fora as revistas femininas espalhadas pela casa, cheias daqueles questionários do tipo "como saber se o garoto da minha classe está a fim de mim?". Afff!

Dei uma olhada no retrovisor e não tive como segurar o riso. Ambas estavam maquiadas, perfumadas, com brincos, colares e o celular na mão, checando, pela câmera frontal, se os cabelos estavam impecavelmente arrumados.

— As duas garotas mais exageradas do sétimo ano! — tive que zoar. — Ainda mais com esse batom melequento que vocês estão usando. Sabe o que parece? Que vocês lamberam manteiga antes de sair de casa.

— É *gloss*, Zeca. *Gloss*! Se atualiza — Yohana protestou.

— Nossa, obrigado por me tirar da ignorância! — Fiz uma careta. — Duas doidas.

— Até pode ser, mas duas doidas lindas, né, Yasmin?

— Claro, Yohana!

Olhei para minha mãe, que ria sem parar. Tive que rir também. Elas conseguem ser bem engraçadas às vezes. Minha mãe estacionou o carro na esquina do colégio e foi logo expulsando a gente.

Descemos do carro e as minhas irmãs foram no maior entusiasmo encontrar as amigas, se esquecendo completamente de mim. Mas até que foi bom. Por causa da carona, chegamos alguns minutos mais cedo, então eu aproveitei para andar calmamente, tentando criar coragem para enfrentar toda aquela rotina de novo. Além disso, eu ando com um humor que nem eu mesmo estou me aguentando, sabia? Sei lá o que está acontecendo comigo. Tenho altos e baixos. Uma hora estou tranquilo, na paz, rindo das trapalhadas das minhas irmãs. Na outra, tenho ódio dos seres humanos, sem paciência com nada. Parece que de repente me transformei em outra pessoa. Outro dia me olhei no espelho e não reconheci quem eu via refletido. Tomei um susto de verdade. Então marquei de passar um fim de semana na casa do meu pai para falar sobre as coisas que estavam me atormentando.

— Você está se tornando homem, meu filho! — Meu pai me deu um tapinha no ombro e uma risadinha sarcástica.

— Está rindo porque não é com você! — emburrei.

— Até parece que nasci deste tamanho, né, Zeca? — Ele continuava rindo. — Meu filho, eu já passei por tudo isso. Muito antes de ser seu pai, eu fui adolescente. Esqueceu? Essa confusão toda é porque você se desenvolveu muito de uns tempos pra cá. Seu corpo mudou, uma barbicha apareceu, as malditas espinhas... São os hormônios! Já surgiram pelos em lugares... digamos assim, estranhos? — Ele apontou para o meu corpo.

— Pai! — Senti o rosto queimar de vergonha. Claro que eu já tinha percebido isso, mas não estava a fim de contar, muito menos listar os tais lugares.

— Pela sua cara, entendi. Se já começaram a aparecer, não tem jeito. Adeus, Zeca criança! E a sua voz? Já notou como mudou?

— Muito! Até outro dia eu parecia um pato fanho falando, agora minha voz ficou mais grave. E disso eu preciso confessar que gostei bastante. Percebi que as garotas curtiram também.

— Garotas? — Ele arregalou os olhos. — Quero saber tudo sobre elas. Já conheceu alguma especial?

Gostaria de ter papos assim com o meu pai mais vezes. Ter pais divorciados é bem complicado. Eles não se casaram novamente, então por que têm de ficar separados? Coisas de cabeça de adulto que eu não entendo. Mas, pelo jeito que a coisa anda, logo vou ter que entender. As mudanças no meu corpo estão me mostrando que não sou mais aquele garotinho; estou virando homem. Minha cabeça está confusa demais. E sinto sono, muito sono. E quero ficar quieto, na minha, não gosto muito de falar. Eu sou mais de pensar. Penso até demais! Mas não gosto de contar o que passa na minha cabeça, então guardo só pra mim.

Vi apenas alguns dos meus colegas do colégio durante as férias, especialmente o Cláudio, que virou meu parceirão. Os outros são só aqueles que a gente vê no colégio e pronto. Eu até andava mais com o Adolfo, mas meio que dei uma afastada dele.

No sexto e sétimo anos, a gente era bem amigos mesmo, e foi com ele que eu aprendi a passar nas fases mais difíceis de alguns jogos. Foi com o avô dele que aprendi a jogar cartas. Passei muitas tardes na casa dele, e o avô do Adolfo era muito paciente para ensinar a jogar buraco. Além de contar várias histórias da época em que servia no exército. Era divertido, mas não sei o que aconteceu... A gente não combina mais, sei lá. Parece que agora eu falo um idioma e ele, outro.

Comecei a conversar mais com as garotas também, mesmo achando que a maldita timidez ainda me atrapalha. Conheci várias delas nas festinhas e na praia. Algumas bem gatas! Dizem que homens e mulheres não são amigos, que sempre rolam segundas intenções. Mas eu conheço a Júlia desde quando nos mudamos de apartamento, depois que meus pais se separaram, três anos atrás. A gente mora no mesmo condomínio e somos colegas de classe. Nós nos tornamos inseparáveis, e, agora que as minhas irmãs estão mais velhas, só faltam idolatrar a Ju. Bom, nós éramos inseparáveis até as últimas férias. Assim que ela pegou o boletim e viu que tinha passado de ano direto, viajou para a fazenda dos avós, no interior de Minas Gerais.

A Júlia quase não ficou online durante esse tempo todo. O perfil dela quase nunca era atualizado. Então ela vai ter muita coisa para contar dessa viagem! Como uma garota de catorze anos consegue não postar quase nada na internet durante três meses? Só a Júlia, pelo visto! Não consegui descobrir muita coisa dessa tal fazenda na internet. Mandei mensagens, que foram completamente ignoradas. No início fiquei bem chateado com o sumiço, mas depois fui obrigado a me acostumar com a ausência de notícias da Júlia. Se eu contar quantas selfies as minhas irmãs postaram nessas férias, acho que passam de duzentas. Se a Júlia postou cinco, foi muito.

Por falar em fotos, eu também não sou de postar muitas. Porque, até pouco tempo atrás, eu tinha a impressão de que meu nariz tomava conta da foto toda! Sem falar das minhas orelhas. Eu não me achava nada fotogênico. Até que de uns tempos pra cá dei uma melhorada. Deixei o cabelo crescer, e pelo menos a questão das orelhas eu consegui disfarçar um pouco. E foto usando camiseta sem mangas, então? Nem pensar! Com aqueles ossos saltando dos ombros e os braços finos? Mas, como passei boa parte das férias jogando basquete no condomínio do Cláudio, notei que o exercício deu uma melhorada nisso. Para que eu pudesse ter mais firmeza nos arremessos, passei a fazer musculação. Continuo magro, mas agora até que eu uso camiseta sem passar muita vergonha.

— Zeca, meu brother, é você mesmo? — o Adolfo falou com cara de espanto, me arrancando dos meus pensamentos. — Caraca, maluco, você tomou chá de bambu? Quase nem te reconheci.

— Fala, varapau! — dessa vez foi o Silas. — Você entrou numa daquelas máquinas de filmes de ficção científica que esticam as pessoas?

— E aí, seus zé-manés, beleza? — Não aguentei a cara assustada deles e caí na risada. — Não entrei em uma máquina maluca nem tomei chá nenhum.

— Caraca, maluco, você tá muito alto! — O Adolfo sempre dá um jeito de enfiar um "caraca, maluco" em tudo o que fala.

— Segundo o meu pai, são os hormônios.

— E bota hormônio nisso! — O Cláudio se juntou à turma, aumentando o coro. — Você já viu que não vai escapar de entrar para o time de basquete esse ano, né? Pode ir esquecendo essa historinha de handebol.

No ano passado, eu era do time de handebol. Todo ano tem Olimpíadas no colégio, e o handebol foi o esporte com o qual mais me identifiquei. Minhas pernas nunca me obedeceram muito, então não consegui participar do time de futebol, apesar de curtir bastante. É um dos períodos em que mais gosto de ir para o colégio, apesar de nunca ter conseguido uma única medalha. As aulas são interrompidas durante uma semana para os jogos. O Cláudio está certo. Este ano vou tentar entrar para o time de basquete. Pratiquei muito nas férias, tenho grandes chances de conseguir uma vaga.

Passamos pelo portão de entrada e meu celular deu alerta de mensagem.

> Zequinha, tô chegando!
> Guarda meu lugar do seu lado,
> como sempre.
> Em que andar fica a nossa sala?
> Tô perdida! Rsrsrs.
> Beijo, Ju

Enfim a desaparecida deu sinal de vida! Que folgada. Some por três meses, não se deu ao trabalho de responder às minhas mensagens e já chega pedindo favor... Mas, tudo bem, não custa nada. Encontramos a nossa nova sala de aula e escolhi uma carteira no fundão, como de costume. A grade de horários foi enviada para o e-mail da minha mãe, então fui logo tirando da mochila o livro da nossa primeira aula, matemática. Coloquei na carteira ao lado da minha para guardar o lugar da Júlia e respondi à mensagem.

Ju, turma 901, segundo andar.
Aquela sala que fica ao lado do
laboratório de ciências.
Não demora!
Tô no fundão.
Bjo, Zeca

Enquanto o primeiro professor não chegava, fui cumprimentando a galera. Um monte de gente comentou como eu estava diferente. Até um grupo de garotas que vivia me esnobando veio falar comigo. Confesso que gostei da atenção repentina. Além disso, estava todo mundo comentando sobre uma festa que havia rolado, quando minha atenção se voltou para uma visão espetacular. A Júlia tinha acabado de atravessar a porta e estava olhando para o fundo da sala. Ela parecia meio perdida, já que não me viu sentado no lugar de sempre. Instintivamente deixei as garotas falando e segui em direção a ela. Não fui só eu quem mudou nos últimos meses. A minha melhor amiga estava de volta. E estava linda!

— Zequinha, meu amor, que saudades! — Assim que me viu, a Júlia correu para me abraçar. Ela é a única que me chama de Zequinha.

— Poxa, Ju, você sumiu. E ignorou todas as minhas mensagens. — Fingi fazer cara de bravo e a empurrei delicadamente, cruzando os braços. Mas ela abriu um sorriso tão grande que minha encenação não durou, sei lá, nem vinte segundos. Dessa vez fui eu quem a puxou para o abraço.

— Ai, amigo! Não briga comigo. Você não imagina como lá é tudo diferente. A vida na fazenda é muito legal. Mas depois eu conto tudo, detalhe por detalhe. E você? — Ela se afastou um pouco e segurou as minhas mãos. Eu senti meu coração acelerar de repente. — Mas, meu Deus. Como assim? Você mudou muito! Cadê meu amigo Zequinha?

— Estou aqui, dentro desse corpo comprido e desengonçado! — Nós dois caímos na gargalhada.

— E essa voz? Uauuu! Fiquei toda arrepiada só de ouvir.

Bateu a maior vergonha do jeito como ela falou. Nunca tive dessas coisas com ela.

— Mas você mudou também... Seu cabelo está mais claro e você está bronzeada.

— Peguei bastante sol. Tem piscina na casa do Bernardo, e eu ia pra lá todos os dias.

— Bernardo?

— Ele é vizinho dos meus avós. Depois te mostro as fotos.

O sinal sonoro indicou o início das aulas e interrompeu nossa conversa. Eu teria que esperar até a hora do intervalo para saber mais das misteriosas férias da Júlia.

Não sei dizer se as três primeiras aulas passaram rápido ou devagar. Tentei prestar atenção na matéria e anotei tudo, mas não conseguia parar de olhar para Júlia. Quando a gente se abraçou, o perfume dela ficou na minha camiseta. Eu nunca nem tinha percebido que a Júlia usava perfume. Agora aquele cheiro bom estava tirando toda a minha concentração. E não era só isso. Tudo nela me chamava a atenção: o jeito como ela mexia no cabelo, a forma de pegar a caneta e escrever no caderno, o batuque que ela fazia com o objeto na carteira enquanto prestava atenção na matéria. Às vezes ela olhava para mim e me dava um sorriso ou fazia careta. Ela sempre teve essas manias. Eu já tinha percebido, afinal somos amigos há três anos. Mesmo assim, eu me sentia fascinado, como se estivesse vendo tudo pela primeira vez.

Quando deu a hora do intervalo, nem tive tempo de falar nada.

— Zequinha, estou morrendo de fome. Vou correr até a cantina para garantir aquele supersanduíche cheio de queijo, quentinho... Huuuumm. Eu estava com uma saudade dos lanches daqui! Você quer?

Só consegui fazer que não com a cabeça.

Outro fenômeno estranho. Eu, que estou sempre com fome, não queria comer nada. Só peguei uma caixinha de chicletes na mochila e fui para o pátio, para o lugar de sempre. Dispensei o convite do Cláudio para um jogo na quadra de basquete. E, de longe, percebi que não ia adiantar nada esperar pela Júlia. Eu tinha perdido o jogo à toa. Minhas irmãs a viram na fila da cantina e não largaram mais do pé dela.

— Cara, que calor dos infernos! — O Adolfo chegou de repente, sacudindo a camisa. — Estou louco pra arrancar esse uniforme!

Dei uma fungada ao redor para entender de onde estava vindo aquele cheiro horrível.

— Que fedor nojento é esse? — Eu me inclinei para o lado dele, para me arrepender logo em seguida. — Você fumou escondido e tentou se livrar do cheiro com perfume?

— Shhhhh! — Ele fez uma cara brava e baixou o tom de voz. — Você está querendo que o inspetor escute?

— Grande coisa falar mais baixo! Do jeito que você está fedendo, basta ter um nariz, mesmo que entupido.

— Tá fedendo muito? — Ele começou a se cheirar. — Não é perfume, é daqueles desodorantes em aerossol.

— Não vou te enganar, não. Essa mistura de cheiros ficou uma droga. — Tentei tapar disfarçadamente o nariz, mas não contive o riso. — Quando você começou a fumar, Adolfo? Aproveita e pega este chiclete aqui, que seu bafo não tá muito diferente.

— Tem um mês, mais ou menos. — Ele deu de ombros e pegou o chiclete. — Começou meio que na brincadeira, sabe? Uns caras mais velhos que conheci na praia durante as férias me ofereceram e eu dei um trago. Eu estava a fim de me enturmar, eles pareciam maneiros e eu não quis parecer o criação do grupo. No início foi bem ruim, tossi pra burro, mas depois fui me acostumando.

— Para com esse troço, cara! É assim que você quer ser o titular do time de basquete? No ano passado você ficou todo frustrado porque não conseguiu. Ou já esqueceu?

— Ah, é só um traguinho, Zeca! Eu paro quando quiser. Esse ano entro para o time, e não vai ser um cigarro bobo que vai me impedir. — Ele riu com sarcasmo.

— Lembra aquele documentário que o colégio obrigou a gente a assistir no ano passado? Sobre drogas, fumo e álcool? Essa conversa de que todo viciado para quando quiser é pura ladainha.

— Você tá me chamando de viciado?! — ele falou entredentes, cruzando os braços e fazendo uma cara bem brava. — Não sou viciado, não.

— Se você parar logo, não vai mesmo se viciar. E não vai mais precisar tomar um banho de desodorante no banheiro do colégio pra disfarçar esse cheiro horrível.

— Aí, meu irmão, na boa! Além de ter espichado no tamanho e engrossado a voz, você ficou chato pra caramba, hein? Te pedi algum conselho, por acaso?

O Adolfo me olhou de cima a baixo e foi embora com cara de poucos amigos. Bom, por mim que se dane. Não vou falar mais nada. Eu quis dar um toque, mas ele ficou todo ofendido. A gente se conhece desde o sexto ano, eu até que gosto dele, mas nos últimos tempos ele tem conseguido ser bem marrento. Arruma briga por qualquer coisinha. Como a minha paciência ultimamente anda do tamanho de uma azeitona, melhor deixar pra lá.

O intervalo acabou e eu voltei para a classe. Logo em seguida, a Júlia entrou.

— Zequinha, desculpa! A Yasmin e a Yohana estavam me contando as novidades do Mário Antônio e, quando dei por mim, o intervalo já tinha terminado.

— Vocês, garotas, são loucas. Onde já se viu ser fã de um cantor com esse nome? Mário Antônio? Isso é nome que preste?

— Ah, para de ser implicante. O cara é o maior gato e canta muito bem. Você está é com inveja. — Ela fez biquinho e soltou um beijo no ar.

— Inveja? Eu? Era só o que faltava... — bufei.

— É impressão minha, ou o senhor está um tantinho invocado? Esse não é o Zequinha que deixei pra trás há três meses.

— Vai ver foi por isso que eu fiquei assim. A culpa é sua! — Tentei esboçar um sorriso, fazendo cara de carente. — Você simplesmente me abandonou aqui.

— Então isso tudo é carência? — Ela deu uma piscadinha. — Vamos voltar juntos pra casa? Podemos ir a pé e colocar o papo em dia, o que acha?

— Claro, vamos.

Mais uma vez não consegui prestar muita atenção nas duas aulas seguintes. Esse papo de que ando um tanto mal-humorado já está meio evidente. Fiquei discutindo mentalmente como tentar disfarçar o mau humor e parar de olhar para a nuca da Júlia depois que ela prendeu os cabelos no alto da cabeça com um lápis. O que está acontecendo comigo, afinal?

Conforme combinamos, saímos juntos e fomos caminhando para casa. Normalmente levamos uns quinze minutos, mas dessa vez demoramos um pouco mais, pois fomos conversando sem pressa.

— Zequinha, esse tempo fora me fez um bem enorme, você não faz ideia — ela começou.

— Eu estou vendo! Você está muito mais bonita. — Senti que corei um pouco quando disse isso.

— Ah, eu estou *mais* bonita? — Ela parou de andar, se colocou bem na minha frente e fez uma cara engraçada. — Eu nem sabia que você me achava bonita. Bom saber. Você nunca tinha me dito isso antes.

— Larga de ser boba, Ju. — Como assim, eu nunca tinha dito isso antes? — Você sabe que é bonita. Mas, conta aí, qual foi esse bem enorme que o seu sumiço te fez? — tentei voltar ao assunto e dei um leve empurrãozinho nela, para que voltasse a andar. Já estava ficando constrangido.

— Comida congelada? Proibida na casa dos meus avós. Era tudo fresquinho. Levei aquela típica vida saudável, sabe? Aprendi a andar a cavalo, a tirar leite da vaca e até ajudei na horta. Tirando as minhocas, que ainda acho meio nojentas, até que me dei bem e aprendi a plantar algumas coisas. À noite, nos fins de semana, sempre rolava música com violão e comidinhas típicas deliciosas. Minas Gerais, né? Se não tiver queijo e doce de leite, não tem graça. Ah, sim! E andei bastante de bicicleta, porque aqui eu morro de medo do trânsito, mesmo na ciclovia. E você, o que fez de bom?

Ela continuava tagarela. Exatamente do mesmo jeito de quando a vi pela primeira vez. E gesticulava sem parar. Como eu estava com saudade disso!

— Ah, eu saí com a galera, fui à praia, zerei uns jogos e comecei outros, peguei um cineminha... e dormi, claro! Muito! — Não sei bem o motivo, mas resolvi não contar que fiquei com algumas garotas.

— E esqueceu de falar que esticou pra caramba! Como pode isso? Você tem catorze anos, mas de repente parece que tem dezesseis.

— Tudo bem, mas você se esqueceu de mencionar que antes eu aparentava ter doze anos! Parecia muito criança.

— É verdade! Um criança mesmo... — Ela fez cócegas na minha barriga.

— Mas... como foi mesmo que você conseguiu esse bronzeado?

— Na piscina do vizinho dos meus avós, o Bernardo. Eu ia até lá todos os dias. Apesar de ter piscina na casa deles, a do Bernardo é muito maior. Eu ficava lá nadando feito um peixinho. A gente fez até campeonato, era muito divertido. Poxa... vou ficar com saudades.

— Mas esse senhor não se aborrecia, não?

— Que senhor?

— Esse daí, ué, de quem você falou. O dono da piscina, amigo dos seus avós.

— Senhor? Hahaha! Ele não é velho não! Tem dezessete anos.

— Ah! Esse tal Bernardo é novo... — Senti uma pontinha de ciúmes.

— Ãhã, novo! E ele é muito legal, foi uma companhia incrível.

— O que eu não consegui entender até agora é como, em pleno século vinte e um, com internet em tudo quanto é lugar, você simplesmente desapareceu — fui logo cortando o assunto do tal Bernardo, pois bateu uma irritação instantânea.

Ela fez uma expressão misteriosa e deu um risadinha esquisita.

— Não senti falta nenhuma de internet. O Bernardo tinha uma coleção enorme de filmes. Além da biblioteca gigante dos meus avós. De vez em quando eu entrava na internet, claro. Olhava algumas notícias e só. Tecnologia às vezes cansa.

— Tecnologia cansa?! — Eu estava chocado. — Desculpa, mas não concordo. Você simplesmente sumiu do mapa. E a internet serve pra isso. Para falar com as pessoas, especialmente com os amigos que não estão por perto. Eu nem sequer tinha o telefone da tal fazenda dos seus avós.

— Estava precisando me desapegar... — Ela fez cara de mistério.

— Desapegar? — perguntei, confuso. — Do quê?

— Não é bem *do quê...* — Ela continuava com o ar misterioso. — Mas *de quem.*

— De quem? — Eu continuava sem entender. — Dá pra falar em português?

— Ah! — ela suspirou, com o olhar perdido no trânsito. — Eu estava confusa e precisava organizar a cabeça. Ficar longe do problema ajuda a pensar melhor. Eu consegui lidar com o desapego, mas vejo agora que os sentimentos continuam os mesmos...

Eu não estava entendendo absolutamente nada daquela conversa. Desapegar de alguém? Ela nem namorado tinha! Sentimentos?! Dei aquele sorrisinho amarelo e concordei com a cabeça, fingindo que estava tudo bem; melhor não prolongar o assunto. É bem confuso quando as mulheres resolvem falar por códigos. Tenho três bons exemplos lá em casa.

— Chegamos! — Ela mudou de atitude, desfez a cara de mistério e, toda animada, empurrou o portão do prédio. — Ainda nem desfiz as malas. E já tem tarefa de matemática pra fazer, não acredito! O nono ano vai ser puxado, hein?

— Nem me fale. Não entendi muito bem a matéria, vou ter que reler as anotações. — A verdade era que eu não tinha prestado a menor atenção. O dia tinha sido completamente perdido, anotei tudo igual a um robô.

— Eu também não. Você lembra aquele nosso método de estudo, certo?

— De relacionar as coisas que a gente não entendeu em um papel à parte? A nossa lista de "coisas que preciso entender"?

— Isso!

— Vamos estudar juntos mais tarde, então? — sugeri.

— Humm... Não vai dar. Ainda estou cansada da viagem, foram muitas horas de carro. E, como falei, nem desfiz as malas. Tenho um monte de coisas pra arrumar. Numa outra hora a gente faz isso. O ano está só começando.

— Tudo bem... — respondi, meio decepcionado.

— Tô indo nessa, Zequinha! — Ela ficou na ponta dos pés e me deu um beijo no rosto. O perfume dela, mais uma vez, ficou grudado em mim. — Acho que vou passar a te chamar de Zeca a partir de agora. Combina mais com o seu tamanho.

— É você quem sabe. — Ri do jeito como ela me olhou. — Você pode me chamar da maneira que quiser.

— Humm... Da maneira que eu quiser? Bom saber. De novo. Já é a segunda coisa interessante e reveladora que você me fala hoje. Tchau, Zeca.

— Tchau, Ju.

A segunda coisa interessante e reveladora?, pensei enquanto abria a porta do apartamento. *E qual foi a primeira? Ah, deixa pra lá.* A Ju voltou falando uma língua que não estou entendendo. Deve ser por causa do tanto de livros que ela leu na tal biblioteca dos avós.

Entrei no quarto e larguei a mochila na cama. Tirei o uniforme e fui esquentar o almoço no micro-ondas. Eu não tinha comido nada no intervalo, então estava morrendo de fome. Minhas irmãs tinham aula de balé logo depois do colégio e almoçariam por lá mesmo. Agora eu teria um tempinho só pra mim, o que era um verdadeiro milagre. Liguei a televisão, mas não consegui prestar muita atenção no que estava passando e resolvi voltar para o quarto e conferir o caderno de matemática. Dei uma lida rápida nas anotações e peguei uma folha à parte para listar as minhas dúvidas. Mas não foi bem sobre equações de segundo grau que comecei a escrever.

Coisas que preciso entender

Por que meu corpo se transformou tanto em tão pouco tempo?
Por que minhas irmãs falam feito matracas?
Por que estão nascendo pelos no meu corpo inteiro?
Por que certas coisas não têm a mesma graça de antigamente?
Por que meus pais vivem separados quando eu acho que deveriam ficar juntos?
E por que o perfume que a Júlia deixou no meu rosto e no meu uniforme mexeu tanto comigo?
E o principal: Por que não consigo parar de pensar nela?

Ouvi um barulho na porta da sala e instintivamente escondi o papel no meio do caderno. Era minha mãe.

— Oi, filho. E aí, como foi o primeiro dia de aula? — Ela parecia bem empolgada. Como se eu tivesse voltado da Disney, e não do CEI.

— Bem, mãe.

— Ai, vocês, homens! Só falam por monossílabos. — Ela suspirou e se sentou na minha cama. — Vamos, quero detalhes.

— O que você quer saber? — respondi, meio contrariado.

— Ai, que má vontade! Zeca, meu filho, o que está acontecendo com você?

— Não está acontecendo nada... — Dei de ombros.

— Está sim! Você já foi mais risonho, mais falante e... costumava ser mais paciente.

— Paciente?

— Sim! Agora você só anda emburrado, de mal com o mundo. Estampa um sorriso nessa bela carinha, filho!

Realmente não ando mesmo com muita vontade de ficar arreganhando os dentes. Nem eu estava entendendo aquele mau humor. Como ela continuava me olhando de um jeito que dizia que não ia sair de lá sem uma boa resposta, resolvi me esforçar para ela largar do meu pé.

— Mãe, você tem razão. Sei lá... Também não sei o que está acontecendo. Meu humor anda péssimo.

— Ah, que bom que você reconheceu! Zeca, você passou por muitas mudanças, principalmente na aparência. Perdeu aquela carinha infantil e agora é um rapaz. Você demorou um pouco mais para, digamos assim, se desenvolver como os seus colegas de turma.

— É verdade! Todo mundo ficou chocado quando me viu. — Acabei sorrindo, ao me lembrar da cara de espanto do pessoal.

— De repente, você está demorando um pouco mais para processar essas mudanças aí na sua cabecinha. — Ela deu uma cutucada na minha testa.

— Desculpa se tenho andado meio azedo ultimamente. Prometo que vou me esforçar para melhorar. Sobre o colégio, não aconteceu nada de mais. O primeiro dia de aula foi normal. Revi a galera e já tem um bocado de matéria nova. O nono ano vai ser puxado! — bufei. — Era justamente isso que eu estava vendo quando você chegou.

— Ah, esqueci de contar! — Ela se levantou num pulo. — Vi a Júlia hoje, depois de meses! Como ela está linda e bronzeada, né?

— É, está linda sim... — Senti que corei. De novo. Que saco!

— Humm... É impressão minha, ou você ficou vermelho quando falei da Júlia?

— Fiquei? É porque tá quente, né? — Tirei a camiseta. — Tá meio calor aqui. — Fui em direção à janela e abri mais as cortinas, que impediam o vento de entrar.

— Calor. Sei... Essas coisas realmente dão calor!

— Que coisas, mãe?

— Nada não, filho. Nada... Desconfio que esse mau humor todo era pela ausência da melhor amiga. Agora que ela está de volta, seu astral vai melhorar. Bom, deixa eu ir cuidar das minhas coisas. Preciso voltar para o salão de beleza. Esqueci os novos panfletos na estante da sala.

Faz um ano que a minha mãe é sócia de uma amiga nesse salão. Ela cuida da gerência administrativa, enquanto a amiga atende as clientes. Como é bem perto de casa, de vez em quando ela aparece assim, do nada. Esse negócio de panfleto é desculpa para dar uma incerta aqui. Até parece que eu não conheço os truques da minha mãe para fiscalizar a gente. Dei uma olhada no caderno e desisti de querer entender qualquer coisa. Resolvi tirar um cochilo. Matemática, você vai ter que esperar um pouco mais.

Acordei sobressaltado pela chegada das minhas irmãs. Ambas com os cabelos presos no topo da cabeça.

— Zeca, seu nome é o mais comentado na nossa turma de balé! — A Yasmin nem me esperou levantar e se sentou do lado esquerdo da cama. E, claro, a Yohana logo ocupou o outro lado, ficando os três apertados na minha cama de solteiro.

— Meu nome na turma de balé? — falei, esfregando os olhos, tentando entender em que dia da semana estávamos e lembrando que ainda era a primeira tarde após o início das aulas. — Meu negócio é esporte, não dança. Que papo doido é esse? Acho que esse penteado todo esticado está afetando o cérebro de vocês.

— Tão bonitinho e tão ogro! — A Yohana revirou os olhos e riu. — Isso é um coque para balé.

— As garotas da nossa turma só falavam de como você está bonito e que vai ser o mais disputado do nono ano! — A Yasmin mexeu no meu cabelo.

— A gente tem o irmão mais comentado do colégio! — A Yohana ficou de pé e rodopiou pelo quarto. — A pergunta que a gente mais ouviu: o Zeca tem namorada?

— Vocês estão exagerando, como sempre... — Eu levantei e me espreguicei, enquanto me olhava no espelho do armário.

— Ele está se fazendo de desentendido... — A Yasmin suspirou.

— Pode se achar bonito, maninho. Só não pode ficar metido — foi a vez de a Yohana falar.

— Já que me acordaram por livre e espontânea pressão, podem tratar de ir para o quarto de vocês porque eu tenho que revisar as matérias de hoje — tentei, em vão, expulsar as duas dali.

— Antes vamos tirar uma fotinho com você, Zeca! — A Yasmin pegou o celular.

— Comigo?

Nem tive tempo de fugir. Elas me empurraram e eu caí sentado na cama. Uma de cada lado, fazendo biquinho, me dando um beijo em cada bochecha.

— Ah, ficou linda! — a Yohana conferiu o visor do aparelho. — Vamos postar agora mesmo! Eu aposto que vai ter cinquenta curtidas, pelo menos.

— Do jeito que as meninas estão eufóricas? — a Yasmin pareceu discordar. — Eu aposto em pelo menos oitenta!

— Ei! Vocês não vão postar isso, não. Eu tô todo descabelado, acabei de acordar. E essa cara de sono? — protestei.

Elas arregalaram os olhos com o meu comentário.

— Vou dobrar a aposta! — a Yohana vibrou. — O Zeca tá tipo aqueles caras de boyband que postam selfies quando acordam. As garotas vão pirar! Vai chegar a cem curtidas!

— Hahahaha! Então eu aumento para cento e cinquenta! — foi a vez da Yasmin. E, claro, saíram do meu quarto tagarelando sem parar.

Cara de boyband! Putz!

Olhei de novo para o espelho e tive de reconhecer que eu havia melhorado bastante. Mas aquilo de ficar famoso no colégio era exagero. Peguei o celular e resolvi tirar uma selfie. A tal cara de boyband. Até que a foto ficou legal. Finalmente meu nariz pareceu proporcional ao resto. Peguei uma foto de novembro e coloquei ao lado da que tinha acabado de tirar. Eu estava analisando as diferenças no meu rosto quando o celular vibrou. Tomei o maior susto, quase derrubei o aparelho no chão. Era mensagem da Ju.

> Esse vídeo é a sua cara! Muito engraçado! Dá uma olhada e depois me diz.

Tentei baixar o vídeo, mas a memória do aparelho estava cheia. Fiquei com preguiça de dar uma olhada no que eu podia excluir para liberar espaço. Peguei o cabo e conectei o celular no computador para transferir os arquivos. O Cláudio tinha criado um grupo para troca de mensagens e meu celular estava cheio de vídeos engraçados, fotos e coisas relacionadas a garotas. Cliquei na pasta que eu tinha criado no computador, e meus últimos três meses estavam praticamente ali. Não era para menos que a memória estivesse cheia. E uma retrospectiva começou a passar na minha cabeça...

Era meio de dezembro, e eu já tinha mandado umas três mensagens para a Ju, sem entender o motivo de ela não me responder. Eu me perguntava que lugar era aquele em que não pegava celular ou internet e estava olhando aborrecido para meu telefone quando o Cláudio entrou no meu quarto.

— Suas irmãs disseram que eu podia entrar. Fiz mal? — Ele parou na porta.

— Claro que não, cara, entra aí. Tudo bem?

— Vim te buscar pra ir numa baladinha comigo. — Ele puxou a cadeira da escrivaninha e fez uma expressão bem suspeita.

— Balada? Numa tarde de quinta-feira? Cláudio, na boa, que troço mais estranho é esse? E por que você não me ligou? Não tô reclamando de você aparecer sem avisar, não é isso. Mas é que tá me cheirando a programa furado.

— Nada de programa furado! — Ele riu. — A gente só tem catorze anos, você queria que fosse à noite ou madrugada adentro? Ainda não chegamos nesse estágio, né? Infelizmente. E eu vim direto pra você não ter cara de dizer não.

— Cláudio, você é muito engraçado. E folgado. Que festinha é essa, afinal?

— É o seguinte... — Ele se ajeitou todo pra falar, completamente empolgado. — Conheci uma garota daquele colégio que fica na rua do lado do nosso, o Carlos Chagas. Vai ter uma festa de encerramento do ano, amigo-oculto, essas paradas. Gente de fora do colégio pode aparecer por lá. Ela me convidou, mas tô meio sem graça de ir sozinho. Afinal, não conheço ninguém. Pensei que talvez você quisesse ir comigo.

— Aí você fica com a garota e eu com cara de bobo olhando para as paredes?

— Só vai ficar com cara de bobo se quiser! Ela tem um monte de amigas. Já está na hora de você ficar com alguém e parar com essa paixonite pela Júlia.

— Eu não tenho paixonite nenhuma pela Júlia. De onde você tirou isso? Ela é minha amiga.

— Sei... — Ele fez cara de deboche. — Tem duas semanas que ela viajou e você está aí com essa cara de viúvo, vigiando o celular. — Ele apontou para a minha mão. — Você está em férias e mal sai de casa! Percebe como isso tá patético? Por isso vim tirar você daqui na marra.

— É impressão sua — eu me defendi, ao mesmo tempo em que larguei o celular na cama. — E, pra provar que você tá errado, vou nessa festinha sem graça aí.

— Aê, Zeca! Valeu! Vai ser show, você vai ver. Não vai se arrepender.

Então fui tomar uma chuveirada rápida e coloquei uma camisa nova, calça jeans e tênis. Pedi permissão para a minha mãe para dormir na casa do Cláudio e, por um milagre, ela deixou.

— Você está em férias e tem mais é que aproveitar! Só me manda notícias, e não vai deixar esse celular sem bateria — ela falou.

Assim que colocamos os pés fora do condomínio, o Cláudio disparou:

— Você tem dinheiro aí?

— Tenho um pouco, por quê?

— Vamos pegar um ônibus.

— Você não falou que era no colégio da rua ao lado? — estranhei.

— O *colégio* fica na rua do lado, a balada não. Vai ser numa casa de festas, a uns quinze minutos daqui.

— Xiiiii, olha a cilada em que você está me metendo, Cláudio.

— Tá com medinho de andar de ônibus, Zeca?! Fala sério, hein? Vamos logo, olha o ônibus vindo ali.

Tudo bem, eu confesso. Não estava mesmo acostumado a andar de ônibus sozinho e nem conhecia o bairro para o qual estávamos indo. Minha rotina se resumia a ficar ali perto de casa, fazendo tudo a pé ou pegando carona com os meus pais, quando era um lugar mais distante. Falando assim, parece que sou um garoto mimadinho que vive agarrado à saia da mãe. Depois da separação dos meus pais, eles ficaram mais controladores, cada um do seu jeito, se é que posso definir dessa forma. Às vezes me sinto bem sufocado, vigiado. Por isso achei um milagre minha mãe me deixar dormir fora de casa. Por mais que eu tivesse saído durante as férias, eu tinha hora para chegar e dizer com quem estava. E ai de mim se eu desobedecesse! Era apenas um ônibus, mas para mim parecia uma aventura. Era a primeira vez que eu realmente saía sozinho com um amigo para um bairro um pouco mais distante e sem a supervisão de um adulto.

Chegamos ao local da festa mais ou menos no tempo que o Cláudio falou. A música estava alta e todo mundo dançava animado. Logo entendi o motivo de o Cláudio querer ir pra lá. Não era uma festa organizada pelo colégio, mas pelos próprios alunos. Então nada de diretor ou professores para dar aquela controlada básica. Havia alguns adultos por lá, claro, mas a grande maioria era gente da nossa idade. A decoração que predominava era nas cores verde e cinza, o único indício de que se tratava de uma festa quase escolar. As mesmas cores do Carlos Chagas, o colégio da tal Amanda, o motivo principal de a gente ter ido parar lá.

— Oi! Você veio mesmo! — A Amanda abraçou o Cláudio, toda animada. — A festa está bombando!

— Percebi. — Ele sorriu pra ela, dando-lhe um beijo no rosto. — Deixa eu te apresentar. Esse é o meu amigo Zeca.

— Oi, Zeca! — ela me cumprimentou com um sorriso. — Acho que eu já te vi na rua com o Cláudio.

— Ah, maravilha! Parabéns pela festa, está bem legal — tentei ao menos ser simpático, já que não me lembrava dela de jeito nenhum.

— Ah, a festa é da minha irmã. Eu estou no oitavo ano e ela no nono. É a festa de despedida do ensino fundamental. A

Alessandra é aquela ali de vermelho, no meio da pista, dançando feito uma doida. Ela é exibida assim mesmo. — A Amanda riu. — Venham! A minha mesa é mais lá no fundo.

Ela foi andando na frente, balançando o corpo no ritmo da música e nos guiando pelo caminho. Eu estava logo atrás do Cláudio quando ele se virou na minha direção, arqueando as sobrancelhas como quem diz "Hoje eu vou me dar bem". Havia mais três garotas à mesa: Joyce, Melissa e Bianca, todas da classe da Amanda. Elas chamaram os garçons, que serviram salgadinhos e refrigerantes para a gente.

As garotas eram bem legais e divertidas. Na verdade, eu me limitava a concordar com o que elas falavam e, a cada sinal de timidez, enfiava um salgadinho na boca. Mas não pude fazer isso por muito tempo. Como já era meio óbvio, o Cláudio saiu para dançar com a Amanda e sumiu pelo salão, assim como as outras meninas. Quando dei por mim, estava ali sozinho com a Joyce. Enquanto estávamos em grupo, tranquilo, mas agora éramos só nós dois. Eu teria que conversar com ela, mas não sabia por onde começar.

— Vocês são amigas há muito tempo? — perguntei, tentando puxar conversa.

— Ah, já tem bastante tempo, sim! Desde o sexto ano. — Ela sorriu.

Eu balancei a cabeça, assentindo, e sorri de volta. Então um silêncio constrangedor tomou conta da mesa, apesar da música alta. Uma contradição bem estranha, para falar a verdade.

— Eu não conhecia esse lugar. Bem legal. É a primeira vez que você vem aqui também? — tentei mais uma vez.

— Eu vim no ano passado — ela foi simples e direta.

Olhei para a pista de dança em estado de quase desespero. E, automaticamente, como tinha feito nas duas últimas semanas, peguei o celular e nada de mensagem da Júlia. Com ela, eu não tinha esse problema de falta de assunto. Inclusive, era difícil a gente parar de falar. Então depois de um tempo, que para mim pareceu eterno, o Cláudio passou na minha frente.

— Só um instantinho, Joyce. — Sorri para ela, que retribuiu o sorriso. — Cláudio, me socorre aqui, rápido. — Eu o puxei bruscamente para trás de uma pilastra.

— Que cara de apavorado é essa, Zeca? — ele debochou. — Não gostou da Joyce?

— Gostei, mas não consigo conversar com ela! Não tenho assunto. Estou travado.

— Você tem duas irmãs e vive grudado na Júlia. Como assim, tá travado pra conversar com uma garota? — Ele riu.

— Não é a mesma coisa. Me ajuda, cara. O que eu faço?

— Fala qualquer coisa. Pô, uma gata dessas e você vai deixar passar?

— Eu falo, mas ela responde com poucas palavras, e não sei continuar a conversa.

— O segredo é fazer perguntas abertas. Mulheres adoram falar. Não é você que reclama do tanto que as suas irmãs falam?

— Perguntas abertas? Traduz. — Eu já estava sem paciência.

— Pensa nas provas de história. Tem aquelas questões que você marca a alternativa, certo? Ou responde sim ou não. E tem aquelas discursivas, que você precisa explicar um pouco mais. É esse tipo de pergunta que você precisa fazer quando for conversar com uma garota. Perguntas que não tenham uma resposta sim ou não. Já que você tá travado, joga a bola pra ela. Mostre que você está interessado nas coisas que ela gosta. Ela vai adorar contar.

— Agora que a minha cabeça fritou de vez — lamentei.

— Vou te emprestar duas perguntas. Presta atenção! — Ele me segurou pelos ombros e deu uma olhadinha disfarçada pra Joyce. — Reparou que ela tá com um pingente da Torre Eiffel no colar? Isso deve significar que ela já foi à França, ou que gosta de Paris, ou pelo menos que faz curso de francês. Você vai falar assim: "Estou pensando em viajar nas férias. Parece que você conhece vários lugares e curte viajar. Quais foram os lugares mais legais que você já conheceu?" E, caso não dê muito certo, guarde esta: "Estou querendo ir ao cinema nessas férias. Que tipo de filme você gosta? Devem estrear vários bem legais".

— Isso não vai dar certo...

— Bom, a Amanda está me esperando. Boa sorte!

Ele me deu um empurrão, e por muito pouco eu não caí. Ainda bem que ela estava distraída olhando para a pista de dança e não percebeu. Retomei o meu lugar, sorri para ela e fui logo soltando a primeira sugestão do Cláudio. Por um milagre, aquilo funcionou! E não é que ela conhecia vários lugares? O Cláudio tinha sido muito esperto ao observar o colar. O sonho de visitar Paris foi a primeira coisa que ela contou, toda empolgada, segurando o pingente. Apesar de ela ainda não ter viajado para o exterior, listou algumas viagens pelo Brasil que tinha feito com os pais. Ela falou sobre os pontos turísticos e até pegou o celular para me mostrar algumas fotos.

O papo estava realmente interessante. Mas eu já estava começando a me sentir em uma agência de turismo. Aproveitei que ela me mostrou uma determinada foto e lancei a segunda sugestão do Cláudio.

— Já vi esse lugar em algum filme, acho que foi usado como cenário. Que tipo de filme você gosta de assistir?

E, de novo, deu certo. Eu já esperava uma resposta do tipo "Adoro comédias românticas ou os filmes baseados nos livros do Nicholas Sparks". Sabe como é, eu moro com três mulheres. Minha mãe é a rainha desse tipo de filme lá em casa. Mas a Joyce me surpreendeu. Ela adorava filmes de suspense e de investigação. Falou de vários que gostava e que também eram os meus favoritos. E, com isso, eu acabei aprendendo uma lição: não é legal criar um modelo de comportamento feminino. Cada uma tem seu jeito, e eu acabei generalizando.

Começou a tocar uma música mais lenta e ela pegou a minha mão.

— Vamos dançar? — falou, empolgada. — Eu adoro essa música.

Nunca, nunquinha mesmo, uma garota tinha me chamado para dançar. É claro que eu já tinha dançado antes, mas aquela parecia a primeira vez, como tudo naquela festa. Para minha sorte, a minha prima Vanessa tinha me usado como cobaia para uma festa de aniversário de quinze anos. Seria a festa mais bombada da escola e ela não queria fazer feio. Então passava lá em casa para ensaiar, e eu fui obrigado a aprender os famosos "dois pra lá, dois pra cá". Ensaiei muito com ela e, na marra, aprendi a dançar.

Nós éramos quase da mesma altura, então nosso rosto ficou bem próximo. O perfume que ela estava usando era bem suave. E, lá pelo meio da música, ela mais uma vez tomou a iniciativa. A Joyce foi aproximando os lábios dos meus bem devagarinho, até que me beijou. Senti meu coração disparar! Eu já tinha beijado uma garota antes, mas minha experiência não era das maiores. Afinal de contas, até pouco tempo atrás, as garotas me esnobavam por eu ser magrelo e sem graça. Digamos que minha experiência era de brincar de pera, uva, maçã ou salada mista. O que é ridículo, eu sei.

Instintivamente, a puxei pela cintura com uma das mãos e, com a outra, acariciei seu rosto, trazendo-o para mais perto. O beijo se tornou mais intenso, de tirar o fôlego. Ela era bem mais experiente que eu, e, apesar do medo de ela perceber isso, eu me deixei levar e relaxei na medida do possível. Até que o ritmo da música mudou e a gente acabou se soltando, apesar de ainda continuarmos bem próximos. Ela sorriu para mim e entendi que o meu beijo tinha sido bom. Respirei fundo, me sentindo aliviado.

— Joyce, minha mãe já está lá fora, esperando a gente. — A Bianca apareceu com a Melissa e sorriu para mim, meio sem graça pela interrupção.

— Preciso ir. — Ela fez uma carinha triste.

— Posso te adicionar pra gente continuar conversando? — peguei o celular.

— Claro — ela concordou. — Estou como Joyce Miranda. A minha foto do perfil é preto e branca e estou com o meu cachorrinho, o Juba.

— Juba? — Achei o nome engraçado.

— Quando você vir a foto dele vai entender... — Ela foi se afastando, sendo puxada pelas amigas. — Parece que ele tem uma juba de leão.

— Vou te procurar. Tchau.

— Tchau, Zeca!

Eu ainda estava olhando para as garotas saindo do salão de festas quando senti o Cláudio parado ao meu lado, com cara de deboche, como sempre.

— Santa Joyce! — Ele levantou as mãos para o alto, fingindo reverência. — Ela merece um altar cheio de flores por ter feito o milagre de fazer você esquecer a Júlia por algumas horas.

— Lá vem você com esse papo de Júlia de novo! Nada a ver, Cláudio.

— Viu como eu estava certo em tirar você de casa hoje?

— Eu admito que você tinha razão. Eu precisava mesmo sair um pouco.

— Vamos embora? Já está ficando tarde e a festa termina logo. Estamos de ônibus, lembra? Não temos carona. Não é bom a gente ficar andando na rua até tarde, não é muito seguro.

Lá na casa do Cláudio, a mãe dele arrumou um colchonete para mim no quarto dele. E, claro, continuamos falando sobre as coisas que tinham acontecido na festa.

— Os toques que você me deu foram legais, Cláudio. Como você aprendeu esse negócio de fazer as perguntas de um jeito que as meninas falem mais? Foi mal, cara, mas eu nunca te vi com tantas garotas assim antes. E de repente você parece saber tudo.

Ele fez pose de metido, mas logo em seguida riu de si mesmo.

— Tem um monte de caras dando aulas de sedução na internet. Preciso confessar que eu assisti a vários vídeos! Alguns cursos são pagos, mas tem muita coisa gratuita na rede.

— Aulas de sedução? — Caí na gargalhada. — Eu não posso acreditar numa coisa dessas.

— Você ficou todo travado pra falar com a garota, não foi? — Eu assenti. — Você pensa que eu sempre fui despachado assim? Não, cara. Até porque não sou lá muito bonito, precisava de algo a mais para me destacar. A primeira garota de quem me aproximei numa festa me deu um fora tão grande que pensei que nunca mais teria coragem de fazer isso novo. Até que meu primo me indicou um blog de um cara que dava umas dicas. Eu fiquei como você, totalmente sem acreditar que esse tipo de coisa existisse. E era bem legal! Ele dava dicas de como se comportar, como chegar nas garotas, conversar. Até dicas de roupas.

As garotas fazem muito isso. Você tem irmãs, já deve ter visto as duas falando ou seguindo nas redes sociais alguma blogueira de moda, maquiagem, essas paradas aí. Só que as garotas têm *permissão* para fazer isso, se é que posso falar assim. Para elas, tem revistas femininas de comportamento penduradas nas bancas de jornal. Para os garotos não, já percebeu? Esses blogs salvaram a minha vida!

— Fiquei curioso. Acho que preciso dar uma olhada nisso também.

O Cláudio ligou o notebook e me mostrou o primeiro blog que consultou e vários outros que conheceu depois. Ele disse que alguns eram bem toscos, só ensinavam bobagens. Então me mostrou os que eram sérios. E ali um novo mundo se abria para mim. A partir daquele dia, eu passei a ler mais esses artigos e a ver uns vídeos também. Lá em casa ninguém sabe disso, só mostrei para o meu pai. Ele também não conhecia e achou interessante. Ficou feliz que fiz dele meu "cúmplice" nisso e nos aproximamos. Conversamos sobre vários desses conselhos. Era bom confiar no meu pai para essas coisas, e me senti mais seguro. Afinal de contas, a gente não pode simplesmente confiar em qualquer um na internet. E saber que eu podia falar com ele sobre essas coisas me deu mais segurança.

Eu já era amigo do Cláudio antes, mas, depois daquele dia, ele passou a ser o meu grande companheiro de festas, passeios e praticamente me obrigou a treinar basquete com ele.

Bom, sobre a Joyce... Eu a adicionei nas redes sociais. Fomos ao cinema, ficamos mais uma vez e só. A tática do Cláudio funcionou na festa. Naquele instante, deu a impressão de que tivemos uma sintonia imediata, mas não foi bem assim. Eu curti o beijo e a experiência de ter ficado com uma garota em uma festa pela primeira vez. Mas não me empolguei, sabe? Orientado pelo Cláudio, eu tinha apenas feito as perguntas certas, mas não significa que havia gostado tanto assim das respostas. Ela era bonita, legal, mas eu não estava a fim de namorar. Então parei de falar com ela, e a Joyce também não me procurou mais.

Conheci outras garotas depois. E algumas vezes fui um fracasso total! Eu chegava junto e o assunto não rolava. Outras vezes, eu pensava que a garota estava a fim de mim, mas, quando tentava beijá-la, ela me rejeitava. Várias vezes voltei para casa me sentindo um lixo. Mas o Cláudio falou que era assim mesmo, e eu tentei não me abalar. De tropeço em tropeço, além da Joyce, fiquei com mais três garotas nas férias. Eu me diverti, aprendi a lidar melhor com a timidez, pude testar algumas dicas dos tais blogs, fiz amizades, mas namoro mesmo, nada. As férias acabaram e eu continuei solteiro, do mesmo jeito que tinha começado. Só um pouquinho mais experiente.

— Zeca, olha o que eu trouxe pra você! — A Ju entrou de repente no meu quarto, me arrancando de supetão das minhas lembranças e me fazendo fechar a janela de fotos das férias rapidamente. — Bolo de cenoura com chocolate! Minha mãe acabou de fazer, e, como eu sei que você adora, trouxe um pedaço.

— Hummm, bolo da tia Carla? — Dei uma mordida. — Era tudo o que eu precisava. Você adivinhou.

— Você assistiu ao vídeo que te mandei?

— Ainda não... — falei de boca cheia.

Então peguei o celular e assistimos juntos. Era um garoto andando de bicicleta, quando de repente ele dispara numa ladeira e cai direto numa poça de lama. A pessoa que está filmando sai correndo para ver o que aconteceu, mas ri muito do outro, que fica bravo.

— Lembra quando a gente foi para aquela colônia de férias, assim que vocês se mudaram pra cá? — Ela apontava e ria. — O maior tombo de toda a história! Você ficou desse jeitinho!

— E com os dois joelhos ralados... — Olhei para eles e duas pequenas cicatrizes ainda estavam ali, me lembrando de um dos meus maiores micos. — E você segurando a minha mão quando fui levado para a enfermaria, para fazer o curativo.

— Tão carente! — Ela bagunçou meu cabelo. — Você estava morrendo de dor, mas ficou bancando o machão que não chora.

— A gente já fez cada coisa engraçada, né? E é por isso que eu ainda estou bastante chateado com o seu sumiço. Vai precisar de mais uns cinco pedaços desse bolo pra eu começar a pensar em te perdoar.

— Pelo menos pode ser de sabores variados? — Ela revirou os olhos e fez cara de deboche. — Coloca o vídeo aí de novo, vai!

Olhei para Júlia, para o vídeo e para o bolo e, sem querer, dei um longo suspiro. Tudo parecia no lugar novamente. Eu estava sentindo falta desses momentos, mais do que imaginava...

No dia seguinte, o professor de geografia, Samuel, passou um trabalho em grupo, que deveria ser entregue na aula de sexta. Achei muito exagerado passar um trabalho assim, com um prazo tão apertado. Ainda mais na primeira semana de aula! A única parte boa é que não precisaria apresentar, só entregar o trabalho escrito. Detesto ter que ir lá na frente da classe apresentar trabalho. Fiz um grupo com a Ju, o Cláudio e o Arthur.

Eu nunca tinha feito trabalho com o Arthur. Ele é meio superdotado e está na nossa classe desde o ano passado. É um ano mais novo que todo mundo e o mais inteligente da turma. Não tem aquela cara comum de nerd dos filmes: magrelo, óculos fundo de garrafa e atrapalhado. Pelo contrário, o garoto até que é boa-pinta, gosta de fazer amizades e, como é baixinho e o mais novo, acabou se tornando o xodó das meninas. Conversei muito pouco com ele até hoje, mas ele parece bem legal. O pouco que sei é que mora longe do colégio, em um bairro mais carente, e que tem bolsa de estudos. O CEI costuma abrir poucas vagas para bolsistas todos os anos, e a prova é bem difícil.

— Gente, olha só... — O Cláudio estava com uma cara preocupada. — Essa semana eu tô enroladaço! Só tenho hoje para fazer esse trabalho. Atrapalha se a gente se reunir mais tarde? Lá pelas três horas?

— Eu não tenho nada marcado pra hoje, pode ser — a Júlia concordou.

— Eu só tenho que avisar à minha mãe que vou chegar tarde, mas acho que não vai ter problema — foi a vez do Arthur. — Onde vamos nos reunir?

Vi que, enquanto concordava com o horário da reunião, o Arthur pegou a carteira de dentro da mochila. Ao conferir a grana, ele fez uma expressão não muito feliz. Apesar de ter disfarçado bem, ficou evidente que talvez ele não tivesse o suficiente para almoçar, já que ficar além do horário das aulas tinha sido uma surpresa.

— Pode ser lá em casa — convidei, sem nem ao menos pensar se a minha mãe concordaria ou não. — Eu e a Júlia somos vizinhos e já estamos acostumados a estudar juntos. E você fica lá em casa enquanto isso, Arthur. Se não se importar de comer macarrão requentado no micro-ondas, prometo que você vai adorar o tempero da dona Marisa, minha mãe. Ela fez uma travessa enorme ontem à noite.

— Obrigado, Zeca! — O Arthur sorriu, contente. — Tenho certeza que vou gostar.

— Combinado então, galera! Vou dar uma passada em casa e depois vou para a sua, Zeca! — O Cláudio pegou a mochila e saiu apressado.

As minhas irmãs tinham uma aula a menos, então voltaram para casa mais cedo. Quando chegamos e elas deram de cara com o Arthur, começaram com aquelas risadinhas e cochichos que eu bem conheço. Gostaram dele. Então fiz as devidas apresentações.

— A gente já conhecia você de vista. — A Yasmin estava toda sorridente. — Veio jogar videogame com o Zeca?

— Não. Vamos fazer trabalho de geografia. Eu também já conhecia vocês de vista. Gêmeas costumam chamar atenção.

— Vamos almoçar antes de fazer o trabalho. Tem bastante macarrão ainda, né? — Abri a geladeira para pegar a travessa. — Vou esquentar pra gente comer.

— A gente ainda não almoçou... — a Yohana falou. — Enquanto você esquenta a comida, vamos arrumar a mesa.

Pronto. Pra que ele foi falar que elas chamam atenção? As meninas ficaram ainda mais elétricas. Eu tive que segurar o riso. Aquelas duas são muito engraçadas. Queriam despertar o interesse do Arthur de qualquer jeito. Normalmente, a gente coloca uma porção de comida no prato, esquenta e come vendo tevê. Cada um na sua. Raramente arrumamos a mesa, porque temos preguiça de limpar tudo depois. A minha mãe almoça perto do salão de beleza e prepara uma comida para a gente esquentar. Mas as regras são claras: ela quer encontrar tudo limpinho na cozinha à noite. Mesmo sabendo que teriam trabalho extra, elas fizeram questão de mostrar serviço: toalha devidamente esticada na mesa, talheres, guardanapos, copos e tudo a que se tem direito. E, claro, praticamente fizeram uma entrevista com o Arthur. Acharam o máximo ele ser nerd e estar no nono ano, tendo acabado de completar treze anos.

— Sempre gostei muito de estudar e quero entrar para a escola técnica de biotecnologia. É como o ensino médio, sabe? Só que tem matérias extras que habilitam o aluno a trabalhar na área. Existe um concurso, tipo um vestibular, para entrar nessa escola, e é muito concorrido. Para isso, eu precisava estudar em um bom colégio, e vários alunos do CEI já entraram lá. Quando eu consegui a bolsa de estudos no ano passado, já me senti com meio caminho andado. Estou me preparando muito para passar. E estou confiante de que vou conseguir — ele falou, todo empolgado.

— Cara, desculpa... — Cocei a cabeça, tentando acompanhar. — Eu não entendi essa parada de biotecnologia. Nunca ouvi falar disso.

— Ah, é fascinante! — os olhos dele brilharam. — É difícil explicar, mas, resumindo bem, vou aprender a usar a biologia e a tecnologia em diversas áreas, como alimentação, agricultura, energia, saúde... Mas eu quero mesmo é trabalhar com o meio ambiente, pensar em novos meios de purificar a água, tratar o lixo. Ou seja, melhorar o planeta.

A Yasmin e a Yohana estavam fascinadas. Aposto que, assim como eu, não estavam entendendo direito a dimensão daquilo tudo, mas a tradução era simples: ele parecia um super-herói que salvaria o futuro da humanidade. Por um lado, fiquei até com inveja, queria muito saber o que fazer da vida. Eu ainda não tinha a menor ideia.

— Seus pais devem ter orgulho de você... — A Yohana mal controlou um suspiro.

— Minha mãe me apoia muito. Meu pai certamente ia gostar. Mas ele faleceu há dois anos. A situação de grana em casa ficou bem ruim, sabe? Se não fosse essa bolsa do CEI, meu sonho estaria bem distante.

Por sorte, a Ju chegou meia hora mais cedo. Ficamos ouvindo música no meu quarto até o Cláudio chegar. Assim as minhas irmãs pararam de alugar o coitado do Arthur. E também foi bom para evitar assuntos tristes. Ele deu uma murchada depois que falou do pai. Deve ser muito ruim perder o pai tão cedo.

Mas rapidinho ele recuperou a alegria, e, quando o Cláudio chegou, fizemos logo o trabalho para que ele pudesse voltar para casa antes de escurecer e os ônibus lotarem. Antes de ele ir embora, o Cláudio postou uma foto nossa fazendo o trabalho. Fizemos pose de inteligentes, com cadernos e canetas em punho. A foto ficou bem engraçada.

Resolvemos ouvir mais música no meu quarto e jogar conversa fora. Estávamos comentando algo sobre uma das nossas bandas favoritas, quando a Júlia fez uma cara meio estranha enquanto olhava o celular.

— Quem é Joyce? — ela perguntou.

Sabe quando você sente a alma congelar? Essa foi a minha sensação. Eu fiquei meio sem saber o que fazer. O Cláudio percebeu e tomou a iniciativa, já que eu parecia estar brincando de estátua.

— Ela é amiga de uma ex-ficante minha. Por quê? — ele quis saber.

— Ela comentou na foto que você acabou de postar.

Peguei o celular, com o coração aos pulos, e fui ler o tal comentário.

> **Zeca, como você mudou desde a última vez em que a gente se encontrou! E pra muito melhor, viu? Bateu saudades. Quando a gente vai se ver de novo? Beijos**

— Ah, a Joyce! — Fingi uma expressão confusa. — Quase nem me lembrava direito dela.

— Mas pelo jeito ela se lembra muito bem de você, Zeca. Marca com a garota pra ela matar as saudades... Bom, já passou da minha hora, vou pra casa. Você imprime o trabalho? — Ela se virou pra mim: — Beijos, mocinhos. Já conheço a saída, não precisa me acompanhar.

Ela foi embora e eu fiquei com cara de pateta, olhando para o Cláudio.

— Cara! Ela morreu de ciúmes do comentário da Joyce! — Ele deu uma olhada na foto no celular e caiu na gargalhada.

— Ela me disse para marcar com a garota, você é surdo? Se tivesse ficado com ciúmes, não teria dito isso.

— Você não notou o tom sarcástico dela? Conhece a garota há séculos e não percebeu? Zeca, sinceramente... Não sei como eu tenho paciência com a sua lerdeza.

— Já falei que somos apenas amigos.

— Então por que você não falou que tinha ficado com a Joyce durante as férias?

— Hummm... é que... — engasguei. — Não falei porque eu não tenho que dar satisfação pra Júlia sobre as garotas que eu beijo. Nada a ver ficar comentando isso, nem mesmo com amigos. Ainda mais ela sendo menina. Você ia gostar que uma amiga sua ficasse contando dos garotos que ela beija, mesmo que não estivesse interessado nela?

— Humm, que papinho mais furado. Nada a ver é você ficar nessa de amigo quando tá na cara que é o fim dela. Quando ela perguntou quem era a Joyce, você ficou branco feito um fantasma! — Ele riu e jogou um travesseiro em mim. — Por isso eu falei que era amiga de uma ex-ficante, pra limpar a sua barra e evitar que você enfartasse. Não menti, mas também não te dedurei. Vai responder e marcar com a Joyce? Ela está com saudades, Zequinha... — ele falou em tom de deboche.

— Para de me zoar, Cláudio. — Forcei um sorriso, quando na verdade eu tinha mesmo ficado em pânico. — Não sei se vou responder... Acho melhor ficar na minha. Gostei de ter conhecido a Joyce, mas a gente não tem muito a ver. Deixa quieto.

— É você quem sabe. Bom, está no meu horário também. Vou nessa.

Sozinho, no quarto, olhei a foto mais uma vez. Só que agora foquei no Arthur. Ele era um cara legal. Fiquei meio mal de não ter feito amizade com ele antes. A bateria do meu celular estava quase no fim, e, enquanto o colocava para recarregar, imprimi o trabalho e fui tomar banho.

Assim que desliguei o chuveiro, minhas irmãs invadiram o banheiro.

— Ei! — briguei enquanto enrolava a toalha na cintura. — A palavra *privacidade* significa alguma coisa para vocês?

— Ih, Zeca, para de dar show. Como se a gente nunca tivesse visto você pelado antes. — A Yasmin riu. — O papai quer falar com você. Toma. — E me estendeu o celular cor-de-rosa cheio de purpurina.

— Oi, pai... — Eu continuava olhando furioso para as duas. — O que houve?

— Oi, Zeca! — A voz dele era de pura animação. — Adivinha só? Seu pai foi promovido! E, por causa disso, vou ter que fazer uma viagem amanhã. Mas antes queria comemorar com os meus filhos. Quero levar os três naquela pizzaria que vocês adoram. Suas irmãs já toparam. E eu já liguei para a sua mãe, tá tudo certo.

— Uau, que maneiro! Parabéns, pai! Claro, vamos comemorar.

— Daqui a uma hora eu passo para pegar vocês.

Eu desliguei e devolvi o celular da Yasmin.

— Já posso acabar de me enxugar e trocar de roupa? — falei, apontando para a porta.

— Vamos nos arrumar, Yohana! — Elas fizeram uma careta e saíram saltitando do banheiro. Vou ter que passar a trancar a porta agora?

A pizzaria estava cheia, mesmo sendo dia de semana. Escolhemos uma mesa na varanda, que dava para um grande jardim. Eu tinha boas lembranças daquele lugar. Apesar de faltar a minha mãe ali — pelo menos foi assim que eu me senti —, foi uma noite maravilhosa. Meu pai estava muito empolgado! Ele agora era gerente regional de vendas. Ele trabalha numa indústria que produz roupa de cama e banho para hotéis, e é por isso que viaja tanto.

Apesar de agora saber que as viagens dele aumentariam e que seria ainda mais difícil encontrá-lo, fiquei feliz. Eu me lembrei do Arthur e de como a ausência do pai mexia com ele. E poder encontrar o meu, mesmo que menos do que eu gostaria, era muito bom. Mas fui logo tratando de espantar os pensamentos tristes e aproveitei a noite. A conversa estava animada e o meu pai tentava explicar para as minhas irmãs a diferença entre *Star Wars* e *Star Trek*. Estávamos rindo tanto que acabamos chamando a atenção de outras mesas.

Quando ele deixou a gente em casa, dei um abraço bem apertado nele.

— O que foi, filho? — Ele se espantou, já que ultimamente não ando lá muito carinhoso, espalhando crises de mau humor pelos quatro cantos. — Tá tudo bem contigo, né?

— Tudo sim, pai. Só estou orgulhoso de você. Parabéns mais uma vez. Boa viagem! Mande notícias sempre que puder, tá?

— Obrigado, filho! Claro que sim. Cuide bem das suas ir-mãs. Elas são ótimas meninas e te adoram, com todo esse jeito maluquinho delas.

— Eu sei... — tive que concordar. — Pode deixar.

Entrei no prédio e da portaria vi o carro partir. E pensei em como eu tinha sorte. Muita sorte.

Q ue atire a primeira pedra quem nunca ficou feliz com a chegada da sexta-feira. E aquela era a primeira sexta depois do início das aulas. Só de pensar que no dia seguinte eu poderia acordar mais tarde, já era motivo suficiente para exibir o meu melhor humor.

Na hora do intervalo, enquanto a Ju, o Cláudio e eu terminávamos de comer perto da cantina, notei que um monte de gente estava checando os celulares, apontando e rindo. Outras faziam cara de desgosto. Até que o Silas chegou com a novidade.

— Vocês viram a página que está zoando o pessoal aqui do colégio? — Ele virou a tela do celular na nossa direção. — E já tem um monte de gente seguindo e deixando comentários.

— Que página é essa? — Peguei meu celular para procurar.

— CEI Dark News.

A foto de perfil era o emblema do colégio com uma caveira no centro. Havia apenas uma postagem, feita na noite anterior. Realmente, para uma página recém-criada, já tinha seguidores demais. A Ju e o Cláudio também procuraram no celular, e, espantados, entendemos por que todo mundo em volta estava alvoroçado.

Fala aê, povo do CEI!

Chegamos para abalar as estruturas! O negócio aqui estava parado demais. E, como vocês bem sabem, água parada dá mosquito da dengue.

Estamos aqui para dar destaque para as nossas estrelas. Afinal, estrela tem que brilhar, concordam?

E vamos começar por... Tchan, tchan, tchan!

Ricardo, da 902.

Ele é o pegador do nono ano. Só que não! Como somos muito carinhosos, vamos dar um apelidinho igualmente carinhoso pra ele: Ricardo Pernalonga. Ele parece o coelhinho dentuço, não parece? Que garota ia querer ficar com um cara desses e correr o risco de levar uma dentada? HAHAHAHAHA!

Bom, esse foi o homenageado de hoje. Aguardem, galera. Vamos homenagear muitos mais. E cuidado, hein? Você pode ser o próximo. Se tiver algum segredo, tome mais cuidado ainda. Afinal de contas, vamos deixar de egoísmo. Estamos aqui para compartilhar com todo mundo as informações mais divertidas dos alunos e professores. Todo mundo merece ficar bem informado!

No mesmo post, tinha uma montagem ilustrando aquela brincadeira sem graça. Uma foto do Ricardo mordendo um sanduíche e, ao lado dele, um desenho do Pernalonga comendo uma cenoura.

— Gente, coitado do Ricardo! — A Ju olhava desolada para o celular. — Isso não se faz.

— Mas a montagem tá engraçada, vamos combinar. — O Silas fez uma careta.

— Também achei engraçada — falei. — Mas, quando a gente vê essas coisas na internet, são com pessoas estranhas. Eu já compartilhei montagens assim no meu perfil. Mas a gente conhece o Ricardo, né? É diferente. E esquisito.

— Já viram quantas vezes isso aqui foi compartilhado? — O Cláudio estava revoltado. — Mais de vinte vezes. A galera não perdoa!

— Ih, gente, vocês estão sentimentais demais! — o Silas falou em tom debochado. — Todo mundo zoa na internet. Vão bancar os santinhos agora? Os comentários são os mais engraçados! — O Silas apontava e ria. — Olha esse! "Se faltar escavadeira pra obra da prefeitura, o Ricardo pode faturar uma grana extra. E de quebra ainda dá uma boa desgastada nos dentões."

O comentário era de um garoto do oitavo ano. Várias carinhas conhecidas apareciam nos comentários, nada amigáveis. Só uma minoria não concordava com a suposta brincadeira e pedia para excluir o post e a página.

— Quando te chamavam de gordo, você não gostava, Silas! — A Ju estava visivelmente nervosa. — Queria ver se fosse com você.

— Calma, Ju! — Fiquei entre os dois. — Vocês não vão brigar por causa de uma página anônima que só quer criar confusão. Assim vocês vão fazer exatamente o que eles querem.

— Eles? Quem são eles, gente? — Ela lia e relia o post. — O texto está no plural, então é um grupo fazendo isso.

— Ou uma pessoa só. O texto pode muito bem estar disfarçado para parecer que é um grupo... — foi a vez de o Cláudio comentar.

— Estamos aqui especulando e ninguém se perguntou como o Ricardo está se sentindo com tudo isso. Temos cinco minutos antes de o intervalo acabar, vamos falar com ele.

Finalmente todo mundo calou a boca e fomos juntos procurar o Ricardo. Não foi muito difícil encontrá-lo. Ele estava próximo da sala de aula, cercado de um monte de gente. E, para nosso espanto, estava com o celular na mão, dando altas gargalhadas. Paramos para ouvir o que ele estava falando:

— Eu sou dentuço, gente! O que eu posso fazer, serrar no meio? — Mais gargalhadas, dele e da galera ao redor.

Então o sinal tocou e os grupos foram se desfazendo. Cada um seguiu para sua sala, mas eu percebi que a Ju se atrasou de propósito, dando um tempo no bebedouro. O Ricardo voltou para a sala por último, e o jeito debochado de um minuto antes havia sumido. Ele esfregou os olhos de forma nervosa. Depois colocou as mãos na cintura e respirou profundamente. Sua fisionomia estava bem fechada, tensa. Então ele respirou de novo e colocou um sorriso totalmente falso no rosto para entrar na sala de aula.

A Júlia me olhou, espantada.

— Você entendeu o que acabamos de ver? — Ela me puxou pelo braço enquanto entrávamos na nossa classe, sussurrando. — Era tudo encenação. Ele fingiu que estava tudo bem, que não se importava com a zoação da tal página.

— Acho que foi uma forma de se defender... — também falei mais baixo enquanto tirava o caderno da mochila. A professora tinha acabado de chegar. — Eu já fiz isso. Quando você ri da situação, as pessoas pegam menos no seu pé.

Comecei a fazer as anotações da aula de redação. A professora Sílvia falava da necessidade de escrever um bom texto em qualquer ocasião. Que se comunicar bem era fundamental em todas as profissões e até no relacionamento entre amigos, família e namorados. Quando ela falou a palavra "namorados", as garotas se ajeitaram nas cadeiras. Ela seguiu falando do interlocutor, da mensagem e do receptor. Das diversas formas de mensagem, o canal escolhido, os gêneros literários, e outras tantas coisas que fazem parte das funções da linguagem.

Isso me fez pensar no que tinha acabado de acontecer. O interlocutor, no caso, era a página CEI Dark News. Tinham usado a internet como canal para enviar a mensagem. O receptor, o grupo de alunos do colégio. E a mensagem provocara diversas sensações nas pessoas. No Ricardo então, nem se fala. Eu adoro a internet. Mas usar o anonimato para agredir as pessoas é péssimo.

Meus pensamentos foram interrompidos quando o estojo da Renata caiu no chão, espalhando todas as suas canetas. Algumas caíram perto de mim, e eu me abaixei para pegar. Quando fui devolvê-las, acabei olhando na direção do Adolfo, que se senta perto dela. Apesar de ser proibido usar celular dentro da sala, ele apontava para o visor com cara de deboche e imitava um coelho para o Evandro, que mal conseguia conter o riso. Ele com certeza estava rindo da montagem do Ricardo Pernalonga. Eu ia cochichar sobre isso com a Júlia, mas percebi que ela não estava prestando a mínima atenção na aula. Estava com uma expressão triste, rabiscando quadrados e triângulos no caderno.

— Psiu — falei baixinho. — A aula de desenho geométrico foi ontem.

Ela deu um sorriso forçado e continuou com os rabiscos.

— Tá tudo bem? — insisti.

— Zeca, olha a conversa... — A professora Sílvia bateu com a caneta no tampo da mesa três vezes. — Depois vai dizer que não entendeu o que deve ser feito para a redação.

— Desculpa, professora.

Todo mundo abafou as risadinhas. Quando ela se virou para o quadro para fazer anotações, dei de ombros e fiz uma careta engraçada, como se nem tivesse ligado. Não foi assim que o Ricardo agiu, agora há pouco? Mas no fundo eu tinha odiado ser repreendido na frente da turma toda. Então passei o resto da aula sem olhar para os lados e fiquei aliviado quando enfim o sinal tocou e eu poderia ir para casa.

— Zeca, não vou poder te esperar, tenho que ir embora logo. — A Júlia colocou a mochila nas costas e disparou até a porta. — Depois a gente se fala.

Nem deu tempo de avisar que ela tinha deixado um caderno embaixo da carteira. Antes que eu também esquecesse, tratei de colocar o caderno dela na minha mochila, para devolver depois. Quando o Adolfo passou perto de mim, não consegui me conter e o chamei.

— Eu vi você tirando sarro do Ricardo, olhando o celular no meio da aula — falei baixo, apesar de mais da metade da turma já ter saído.

— Eu e as torcidas do Flamengo e do Palmeiras juntas. — Ele gargalhou. — Caraca, maluco, aquilo ficou sinistro.

— Você não tem nada a ver com isso não, tem?

— O quê? Peraí... Deixa ver se eu entendi bem. — Ele cruzou os braços. — Você está achando eu fiz aquela palhaçada toda?

— Eu não estou achando nada, Adolfo. Fiz uma pergunta. Só isso.

— Isso não é uma pergunta. É uma acusação.

— Você já teve problemas com o Ricardo. E eu sei muito bem que você é craque em fazer montagens. Além de sempre ter debochado dos dentes dele.

— Existe um monte de aplicativos de montagem. Qualquer criança de cinco anos pode fazer. E eu não tô gostando nada desse papo. Espero que você não tenha comentado isso com ninguém. — Ele se aproximou e pude sentir seu hálito de cigarro.

— Não falei nada com ninguém. Fica calmo.

— Acho bom. Senão eu vou ser obrigado a esquecer que um dia fomos mais próximos e acertar a sua cara.

— Tudo agora você resolve na base da pancadaria? Você pensa que eu não sei das confusões em que anda se metendo, aqui e fora do colégio? Brigando com todo mundo por qualquer motivo? — Olhei firme para ele, para mostrar que não estava com medo. — Você não era assim.

— Todo mundo muda. Até você. Agora tá aí, um pau de selfie ambulante — ele riu com sarcasmo. — Fica na sua, Zeca.

Ele colocou a mochila nas costas e saiu. Só então eu lembrei de respirar outra vez. Por pouco não tivemos uma briga. Eu ainda não estou muito convencido de que o Adolfo não tenha participado disso, mas num ponto ele estava certo: eu meio que o acusei e ele se defendeu. Não foi o que a professora acabara de falar? Eu fui o interlocutor, mandei a mensagem e o receptor recebeu mal, e eu quase tomei um soco na cara.

Quando cheguei em casa, deixei a mochila no quarto, peguei o caderno da Ju e fui logo entregar. Ela estava muito esquisita no colégio! Eu precisava investigar. Quando toquei a campainha, a mãe dela atendeu. Achei estranho, porque ela deveria estar no trabalho àquela hora.

— Oi, tia Carla! — Dei um beijo nela. — A Júlia esqueceu esse caderno no colégio. Cadê ela?

— Desceu, foi para o playground.

— Desceu? O que ela foi fazer lá embaixo?

— Foi dar uma respirada... — Ela fez uma cara meio preocupada. — Você já almoçou?

— Ainda não.

— Estou fazendo arroz de forno. Quer almoçar com a gente?

— Eu adoro o seu arroz de forno! — O cheiro que vinha da cozinha era maravilhoso. — Me deixa só trocar de roupa e eu já volto.

— Dentro de uns vinte minutos deve estar pronto. Então até daqui a pouco.

Voltei para casa e tirei o uniforme. Estava quente, então coloquei uma bermuda e uma camiseta. E resolvi descer até o playground para encontrar a Ju. Aquilo tudo parecia estranho demais. Dar uma respirada? Muito esquisito.

Quando cheguei lá, ela estava sozinha, parada de pé perto da grade, olhando o movimento da rua.

— Ju? — Toquei seu ombro. — O que você está fazendo aqui sozinha?

Quando ela se virou, seus olhos estavam vermelhos. Ela estava chorando.

— Nossa, Ju. Eu achei mesmo que você estava estranha. — Instintivamente deslizei o polegar pela sua bochecha esquerda para enxugar uma lágrima. — Você ficou muito nervosa com a história do Ricardo. Depois mal prestou atenção na aula de redação e saiu correndo quando o sinal tocou. O que está acontecendo?

Ela tentou falar, mas acabou soluçando. Então respirou fundo, enxugou o rosto e, com a voz trêmula, contou o que a estava deixando triste.

— Meu avô passou mal e foi internado. Acho que é algum problema no coração, não sei direito. Minha mãe pediu folga no trabalho e vai para Belo Horizonte mais tarde. Vai dar uma força para a minha avó. Eu queria muito ir, sabe? Mas minha mãe vai de avião pra chegar mais rápido e não tem grana para duas passagens. E ela não quer que eu perca as aulas. Estou preocupada. Eu adoro o meu avô. E se alguma coisa grave acontecer e eu não estiver lá?

— Você esqueceu um caderno no colégio e eu fui até a sua casa entregar. Achei estranho a sua mãe estar lá a essa hora. Mas ela parecia bem, Ju. Fica calma. Vai dar tudo certo. Pessoas mais velhas têm problemas de saúde, de repente não é nada mais sério, senão sua mãe daria um jeito de te levar.

Foi aí que ela me abraçou. Passou os braços ao redor da minha cintura e me apertou bem forte. Ela estava chorando baixinho. É claro que eu já tinha abraçado a Júlia antes, mas, pela primeira vez, fiquei sem jeito, sem saber como agir. Antes a gente tinha praticamente a mesma altura. Mas agora a cabeça dela batia no meu peito. Meu queixo encaixava perfeitamente no topo de sua cabeça. Eu a envolvi com o braço esquerdo e, com a mão direita, comecei a acariciar seus cabelos macios, querendo dizer que ia ficar tudo bem.

Ficamos calados durante um tempo, no conforto daquele abraço. Quando dei por mim, eu praticamente havia enterrado o nariz nos seus cabelos e estava aspirando aquele perfume delicioso. Eu me sentia impotente. Queria que ela parasse de sofrer. Senti uma dor no peito de não poder fazer isso. Só me restava consolá-la da melhor maneira que eu podia. E a minha maneira era aquela, com aquele abraço meio desengonçado. Eu sentia o calor vindo do seu corpo, e um monte de pensamentos confusos se embaralhavam na minha cabeça. Confusão. Essa era a minha palavra preferida dos últimos tempos. Confusão de pensamentos e sentimentos. Senti meu coração tremer. Isso, tremer. Não era aquele batimento acelerado que acontece depois de uma corrida. Era diferente. Parecia chacoalhar dentro do peito.

— Zeca? — ela murmurou.

— Humm?

— Posso ouvir seu coração... — Ela me abraçou ainda mais forte, como se já não estivéssemos praticamente colados. Apesar da vergonha que senti naquele instante, já que aquele *tum-tum-tum* descompassado tinha sido por causa daquele abraço, não consegui me mexer.

Depois de um tempo, ela se afastou um pouco e levantou os olhos para me encarar. Seus olhos e nariz estavam vermelhos, e vi a mancha que as lágrimas tinham causado na minha camiseta.

— Obrigada por estar sempre por perto quando eu mais preciso.

— Não precisa agradecer, Ju... — Meus dedos, antes em seus cabelos, desceram até a sua cintura e comecei a fazer cócegas nela. — Hum, não. Mudei de ideia. Precisa agradecer sim.

— Lá vem bomba! — Eu consegui arrancar um sorriso dela.

— Tô morrendo de fome! A tia Carla me convidou para almoçar. Já deve estar pronto. Vamos subir?

— Também estou com fome. Mas vamos esperar mais um tempinho, só até essa cara de choro melhorar. Não quero deixar minha mãe pior do que já está.

Ela ficou na ponta dos pés e me deu um beijo demorado no rosto. Depois me puxou para o banco e ficamos ali sentados, olhando o movimento da rua por um tempo. Fiquei aliviado por ela ter sentado e não me abraçado de novo. Pois o beijo que ela me deu provocou ainda mais daquele tremor maluco dentro do peito.

— Lembra quando a gente era mais novo e ficava aqui olhando os carros? — ela finalmente quebrou o silêncio e sorriu, apontando para a avenida.

— A gente fazia competição de cores. Quem contasse mais carros de determinada cor em um minuto era o vencedor. — Eu ri. — A gente se divertia com cada coisa, né? E quando as minhas irmãs começaram a aprender a andar de patins?

— Nossa, era muito engraçado! A Yasmin queria correr e a Yohana morria de medo de acertar as pilastras. Mas uma coisa continua igual... o playground vazio, parecendo um lugar fantasma. Um espaço tão grande e tão mal aproveitado... — Ela olhou em volta.

— Por muito tempo ele foi só nosso. Até que a gente enjoou de descer.

— Verdade... — Ela deu um longo suspiro e me encarou. — Sempre juntos.

— Sim, sempre juntos. — Eu acariciei seus cabelos. — Seu nariz não está mais vermelho feito o de uma rena de Papai Noel. — Ela riu. — Vamos? Sua mãe deve estar preocupada. E minha lombriga de estimação, faminta.

— Vamos!

Ela se levantou, me puxou pela mão e seguimos assim, de mãos dadas, até o apartamento dela.

O almoço estava uma delícia. Aliás, tudo o que a tia Carla faz é muito bom. Até aquele momento, o dia tinha sido bem estressante, diferente da alegria que senti de manhã, por ser sexta-feira. Conversamos sobre vários assuntos e, aos poucos, tudo foi ficando descontraído. A Júlia sorria e devagar ia voltando a ser a garota alegre, falante e que gesticula sem parar. E, dentro de mim, bateu uma vontade enorme e incontrolável de fazer com que ela ficasse sempre assim, de ter a capacidade de nunca deixá-la se sentir triste novamente.

Durante metade daquele primeiro fim de semana de aula, eu dormi. E, na outra, joguei videogame com os meus amigos. Minhas irmãs fizeram uma pequena viagem com a tia Eunice, irmã do meu pai. Ela levou as meninas para assistir a apresentações de balé em um festival. Minha tia até me convidou para ir junto, mas dispensei o passeio. Foi por isso que consegui recuperar o sono atrasado, pois tive o apartamento praticamente para mim. Como a Júlia passou as férias todas no interior, foi rever familiares durante o fim de semana inteiro. Então só me restou mesmo dormir e jogar. Ah, sim: e rever a matéria de português no domingo à noite.

Orações subordinadas substantivas, adjetivas e adverbiais. Todo mundo morre de medo de matemática, a grande vilã dos estudantes. Já eu acho português bem mais complicado! São tantos tempos verbais, pronomes, regras de acentuação e pontuação que eu não me espanto de tanta gente escrever errado. Por isso que dizem que quem lê mais acaba aprendendo a escrever, já que é uma forma divertida de aprendizado. Ultimamente meus professores têm sido Gandalf, Frodo, Gollum e Bilbo, de *O Senhor dos Anéis*, do J. R. R. Tolkien. Meu pai me deu os livros de presente e eu fiquei fascinado. Virei fã de histórias de fantasia e comecei a pesquisar tudo sobre o assunto.

Na segunda-feira, assim que cheguei ao colégio, o Adolfo me chamou no pátio. Ele me segurou pelo braço e me puxou para perto de uma pilastra, antes das escadas que davam para o segundo andar.

— Fala, Adolfo! — Fiquei incomodado com aquilo. — Já sei. É aquele lance do Ricardo?

— Relaxa, não é do Ricardo que eu quero falar. Nem me lembrava mais desse troço de montagem.

— Então o que é? A aula já vai começar e eu não tô a fim de tomar advertência.

— É sobre a Jujubinha.

— Jujubinha?

— É! A Jujubinha, a Julinha... a Júlia!

— O que tem a Júlia? — Meu sangue ferveu com a folga do cara. Para que dar esse tanto de apelido para ela?

— Quero saber qual é a parada de vocês.

— Como assim, Adolfo?

— Vocês namoram, ficam, é amizade colorida? Qual é a de vocês?

— Somos amigos. E...? — bufei.

— *E...?* — ele me imitou. — Quero saber se posso chegar junto.

— E vem perguntar pra mim?

— Qual é? Estou querendo saber se estou invadindo terreno alheio, só isso.

— Você está a fim dela? Quer namorar a Júlia? — Eu não conseguia mais disfarçar que estava aborrecido com aquela conversa.

— Namorar? Ora, não me faça rir! Quero dar uma ficadinha, só isso.

— Ficadinha? Adolfo, olha só, você é canalha demais pra minha amiga Júlia.

— Xiii, pronto! Se defendeu é porque tá a fim.

— Não é nada disso! É que eu conheço seu tipo. E não... eu não quero que você se meta com ela. Beleza?

— O que tá claro aqui é que eu vim falar de boa com você, mas, já que começou a engrossar, vou te mandar um aviso: você não manda em mim. — E me deu um cutucão no ombro. — Se eu quiser dar em cima da Júlia, você não tem nada a ver com isso. Se quer ficar só na amizade com ela, problema seu. Eu é que não vou ficar de amiguinho.

— Adolfo, tô falando sério. Deixa a Júlia em paz.

— Agora só fiquei com mais vontade — sua voz era sarcástica. — Bom, está avisado.

E saiu em direção às escadas, me deixando ali plantado, com cara de idiota. Eu quis chamá-lo de volta para responder, mas, assim que abri a boca, vi que o inspetor estava apressando todo mundo para entrar nas salas. Que raiva! Ele tinha que cismar justo com a Júlia? Ele faz bem o tipo pegador e não está nem aí para o sentimento das garotas. Quando isso acontece com as desconhecidas, não há nada que eu possa fazer. Mas com a Júlia não. Eu não podia deixar que isso acontecesse.

Nem preciso dizer que o meu humor estava péssimo naquela manhã. Existe alguma pílula para isso? Inventaram remédio para tanta coisa, dor de cabeça, dor de barriga, insônia... Deve existir algo para tirar a vontade de socar o mundo também. Durante toda a manhã fiquei pensando se contava ou não para a Júlia o que tinha acontecido, mas a coragem desapareceu. "Oi,

Ju, então... o Adolfo quer ficar contigo. Você quer ficar com ele?"
Não consegui entender se o medo maior era de fazer a pergunta ou de saber a resposta.

E mais uma postagem da página CEI Dark News agitou a hora do intervalo. A vítima dessa vez foi a Denise, do oitavo ano. Ela é meio gordinha e, diferente do post sobre o Ricardo, não tinha montagem, mas um vídeo dela.

Fala aê, povo do CEI! Estamos de volta, para a alegria de vocês!

O fim de semana foi animado, hein?

E, claro, temos mais uma estrela para a nossa constelação.

A Denise, da turma 801, é a grande homenageada do dia! Ela merece! Vamos aplaudir, pessoal. Afinal de contas não é todo dia que a gente se depara com uma atleta da patinação. Siiiimmm! Patinação! A galera em peso pôde conferir sua atuação na pista de patinação no sábado. E, por falar em peso... HAHAHAHA! Faltou pouco para rachar o chão. Já pensou se a pista fica interditada para obras? Nããããoo! Para quem não viu essa cena de cinema ao vivo, olha aí o momento Hollywood com exclusividade.

O vídeo, que tinha uns trinta segundos no máximo, mostrava a Denise levando um tombo gigantesco. Ela perdeu o equilíbrio, rodopiou e caiu com tudo de bunda no chão. E o vídeo repetia a cena umas cinco vezes pelo menos, com um daqueles efeitos de som de queda de avião.

O Ricardo se defendeu rindo de si mesmo, mas a Denise não conseguiu fazer isso. Ela teve uma enorme crise de choro. Chegou até a passar mal. E com isso o caso foi levado para a coordenadora Lívia. Faltando uns quinze minutos para as aulas terminarem, ela entrou para falar com a nossa turma.

— Pessoal, quero pedir dois minutinhos da atenção de vocês. — Sua fisionomia era séria e todo mundo ficou calado, não dava para ouvir nem a respiração dos alunos. — Estou passando em todas as turmas para falar sobre a página criada na rede social. É claro que vocês já estão sabendo e não preciso gastar nem o meu tempo nem o de vocês para nos aprofundarmos mais no assunto. Eu vim aqui hoje dizer que nós, coordenação e direção, não vamos aceitar esse tipo de comportamento. Assim que descobrirmos quem são os responsáveis pela brincadeira de péssimo gosto, eles serão severamente punidos com expulsão. Mas não é só isso. É preciso deixar bem claro que cyberbullying é crime. Todos os alunos que comentaram de forma agressiva ou apoiaram tais manifestações na internet já foram identificados. Todos os responsáveis serão chamados. Outra medida urgente que precisamos tomar é que, a partir de hoje, o uso do celular está proibido no CEI, mesmo no intervalo. Não podemos proibir que tragam seus aparelhos, mas só poderão ser usados fora das dependências do colégio. Sabemos que essa medida não vai evitar que novas agressões sejam feitas fora do horário escolar. Mas, enquanto não resolvermos essa questão, será assim que as coisas vão funcionar. Quem não obedecer à nova regra terá o celular confiscado, e o aparelho somente será entregue ao responsável. Uma nota oficial será emitida e enviada aos responsáveis de vocês. Espero que todos tenham entendido e que colaborem para que o nosso ambiente seja de paz e harmonia para todos.

Quando ela saiu da classe, fomos autorizados a guardar nosso material para a saída. Discretamente, olhei na direção do Adolfo. Ele estava fazendo a típica cara de deboche para os amigos.

— Que forma tensa de começar a semana! — A Júlia estava com os olhos arregalados. — E o ano mal começou! Quem será que está fazendo isso?

— Seja quem for, não passa de um covarde. — Não pude evitar olhar para o Adolfo de novo, mas ela não percebeu. — E agora todo mundo foi punido junto. Adeus, celular.

— Preciso ir ao banheiro antes de voltarmos para casa. Você me espera um minuto?

— Ih, Ju! Esqueci de falar... Vou almoçar com o meu pai, na casa dele. Ele tá de folga hoje.

— Ah, tudo bem... — Ela fez beicinho. — O que fazer, né? Lá vou eu, solitária, tipo a Chapeuzinho Vermelho pela floresta.

— Hahaha! Para de drama, Ju. Não vai aparecer nenhum Lobo Mau pelo caminho. E você, que me abandonou o fim de semana inteiro?

— Tudo bem, eu me declaro culpada! — Ela levantou a mão.

— Nossa, com essa confusão acabei esquecendo de perguntar. A tia Carla tá bem? E o seu avô? Recebeu notícias?

— Meu avô melhorou. Logo vai ficar tudo bem. Ele teve um problema de pressão, mas já está medicado. Vai ficar mais uns dois dias no hospital fazendo exames e logo volta pra fazenda. Eu também já estou mais calma.

— Que bom. Eu não disse que ia acabar tudo bem? — Dei um beijo em seus cabelos antes de seguir rumo ao portão. — Meu pai já deve estar me esperando.

Depois de pegar um pouco de trânsito, finalmente chegamos à casa do meu pai. Como ele não é muito fã de cozinha, geralmente nos leva para comer fora. Mas, como eu falei que precisava conversar, ele resolveu preparar em casa o único prato que realmente fica bom: lasanha congelada esquentada no micro-ondas.

— Uau, pai. A cada dia que passa você está melhor nisso — brinquei.

— E nem queimei as bordas da embalagem, viu só que progresso? — Ele riu. — Mas não é sobre os meus dotes nada culinários que você quer conversar. O que está acontecendo, Zeca?

Dei mais uma garfada na comida e respirei fundo para criar coragem. Apesar de o meu pai ser um amigão, era a primeira vez na vida que teríamos aquela conversa. Era difícil falar de certas coisas, e batia uma tremenda vergonha. Mas, já que eu estava ali, falei tudo de uma vez: como eu tinha me sentido em relação à Júlia nas férias, como o sumiço dela tinha me irritado, o perfume dela me deixando meio confuso e, por fim, o estresse com o Adolfo. Ele comia e fazia que sim com a cabeça, me encorajando a pôr tudo para fora. Ele não disse uma só palavra até que, exausto, eu parei de falar.

— Muito bem... — Ele terminou sua porção de lasanha e pousou os talheres no prato. — Finalmente você enxergou o que eu já sabia faz tempo. Demorou, hein? Qual a dificuldade de usar as palavras certas, Zeca? Repita comigo: eu estou completamente apaixonado pela minha melhor amiga.

— Ai, pai! — Eu queria me esconder embaixo da mesa. — Que mico.

— Mico por quê? — Ele riu. — Garotos se apaixonam.

— Que cilada! Apaixonado pela melhor amiga. Tem coisa mais clichê? Não existe tema mais batido que esse em novelas e filmes. Só que agora eu sou o protagonista.

— Não sei por que tanta relutância em aceitar quando é tudo tão óbvio! — Meu pai sorria para mim enquanto bagunçava meu cabelo.

— Não faz isso no meu cabelo que me sinto com cinco anos de novo.

— Tudo bem. — Ele cruzou as mãos sobre a mesa, mas continuava com aquele sorrisinho. — Que você está apaixonado por ela, disso não tem como fugir. O tal mau humor das férias era em parte resultado dos hormônios descontrolados e da sua súbita mudança de aparência. Mas reconheça de uma vez por todas que era a falta da Júlia que estava deixando você daquele jeito. Ela estava o tempo todo do seu lado, mas foi quando se afastou que você se deu conta de que sempre gostou dela. E a Júlia? Notou algo diferente nela? Como ela está te tratando?

— Ah, ela não mudou nada desde que voltou, está me tratando do mesmo jeito. Isso quer dizer que essa paixão repentina é só da minha parte. Não tô sabendo lidar com isso. Não consigo falar nada, porque tenho medo de perder minha amiga. Só que, ao mesmo tempo, morro de raiva só de pensar em ver a Júlia com outro cara.

— Se você não fizer nada, alguém vai fazer. — Ele parou com o sorrisinho e ficou sério. — Não acho o Adolfo uma ameaça. Pelo que conheço da Júlia, ela não se envolveria com um tipo brigão como ele. Mas outro garoto pode aparecer quando você menos esperar.

— E se ela não quiser nada comigo?

— É um risco que você vai ter que correr.

— Tomei um fora de umas garotas nas férias. E, mesmo sem conhecê-las direito, foi uma sensação bem ruim. Imagina com a Júlia.

— Mais ou menos na sua idade, eu também fui apaixonado pela minha melhor amiga.

— Sério, pai? E aí?

— Não aconteceu nada. Ela nunca soube. Depois nos formamos no colégio e cada um seguiu a sua vida. Entende por que eu acho que você deve falar com a Júlia?

— E depois dela?

— Conheci a sua mãe.

— Humm... Pai, posso perguntar uma coisa?

— Claro.

— Quando você e a mamãe se separaram, eu tinha onze anos e minhas irmãs quase nove. Foi bem difícil. Mas, como eu tinha amigos da escola na mesma situação, conversava com eles, e isso até acabou se tornando normal. Mas não quer dizer que eu aceitava, entende? Por que isso aconteceu?

— Eu respeito muito a sua mãe. Ela é uma mulher incrível. Mas a gente não estava mais se entendendo, e ficamos com medo de que isso fosse ainda mais complicado pra vocês. Foi melhor assim.

— Mas vocês não se casaram de novo. Durante esse tempo todo, nunca vi minha mãe com namorado.

— Não?! — Ele arqueou as sobrancelhas e fez uma expressão que não consegui definir direito.

— Nem você. Pelo menos nunca apresentou pra gente.

— Eu trabalho demais, não tenho tempo pra isso. Você quer sorvete?

Quando era a minha vez de falar, tudo bem, né, José Carlos? Mas, quando o jogo virou, ele foi logo mudando para a sobremesa. Apesar de ele ter saído de mansinho, foi ótimo passar a tarde conversando com o meu pai. Agora tudo o que eu precisava era criar coragem. Só não sabia como...

Aquela terça-feira começava com novidade: a página CEI Dark News havia sido excluída. Apesar da proibição do uso de celulares no colégio, o assunto não saía da pauta. Todo mundo estava se perguntando quem era o dono da tal página e por que tinha sido excluída. A direção tinha de alguma forma causado isso? O próprio dono excluiu, porque ficou com medo de ser pego ou expulso? Qual seria a punição para aqueles que comentaram de forma negativa? Muitas perguntas e nenhuma resposta. E a Denise não tinha aparecido no colégio. Ela devia estar com vergonha do que aconteceu, mesmo o vídeo não estando mais disponível.

Quando voltei do intervalo, percebi que o Adolfo e seus amigos tinham aprontado alguma. Eles cochichavam, riam, e o Adolfo sussurrou para o Daniel:

— Esconde, esconde isso!

Observei um pouco mais e vi que tinha uma mochila escondida atrás da carteira dele. O Arthur entrou na classe instantes depois e, ao chegar ao seu lugar, percebeu logo que tinham armado para cima dele. Mas levou numa boa e começou a rir, pedindo que devolvessem a mochila. Ele não entendeu de cara quem tinha feito aquilo e falou de um modo geral para os alunos ali. Todo mundo se fez de desentendido.

— Olha só, ô, pintor de rodapé, não vimos sua mochila não, cara — o Adolfo falou, com seu usual tom de deboche.

— Também não vi nada, Einstein. Usa aí seus superpoderes de cientista maluco pra ver se acha a mochila fujona — dessa vez foi o Daniel a implicar.

Ouvi risadas do grupinho do Adolfo. Então agora ele tinha virado chefe da gangue? Já não bastava ter que aturar o Adolfo aprontando sozinho, agora ele tinha cúmplices? Ele e mais três garotos, Daniel, Tadeu e Evandro, riam sem parar da cara do Arthur. Naquele momento, ele já tinha se dado conta de que o sumiço da mochila era obra deles. Então a classe começou a encher e logo a aula de história começaria. No início, o Arthur até levou na brincadeira. Mas, como os garotos começaram com ofensas, sua fisionomia mudou.

— Xiiii, caramba! Será que você vai ter que comprar os livros de novo? Deve ter dinheiro sobrando, né? Afinal de contas, você não paga a mensalidade do colégio — foi a vez do Evandro. — Sempre achei um abuso esse negócio de bolsa de estudos. — Ele se virou para os outros do grupo, cruzou os braços e se fez de ofendido: — Todo mundo paga, não sei por que um e outro se acham no direito de estudar de graça.

O Arthur estava realmente incomodado. E eu também. Eles estavam pegando pesado e o clima não estava nada bom.

— Olha só, gente! Acho que o gênio vai chorar! — Adolfo debochou. — Caraca, maluco! Só falta ele chamar o papai. Ah, não! Esqueci... Você não tem pai, né?

Aquilo eu não aguentei. O Adolfo tinha sido cretino demais.

— Adolfo, para com isso! Devolve a mochila do cara, agora! — Eu me aproximei do grupo.

— Hahaha! Dando ordens? Que piada! — o Adolfo zombou, e os outros três caíram na gargalhada. — O pintinho magrelo está cantando de galo. — Ele estendeu as mãos e fingiu tremer. — Olha, olha! Tô morrendo de medo de você, Zeca!

Senti o sangue ferver. Parti para cima dele e o empurrei com força. Peguei a mochila e a joguei de volta para o Arthur. Eu sentia tanta, mas tanta raiva que esqueci que estava na sala de aula e segurei o Adolfo pelo colarinho.

— Adolfo, tô de saco cheio de você! Tá se achando o tal, né? Mas deixa eu te contar uma coisa: você não é! Não passa de um sem educação que acredita que pode maltratar as pessoas. Sabe por que você resolveu implicar com o Arthur? Inveja! Por mais que estude, você sempre será um aluno medíocre!

Escutei uma sucessão de *oh!*, *ih!*, *ui!*. O Adolfo me olhava espantado, pois eu nunca havia reagido daquela forma. Quando ele finalmente saiu do transe e estava prestes a revidar, ouvimos a Natália fechando a porta da sala. E ela gritou para nos alertar, baixando o tom de voz logo em seguida:

— Meninos, parem com essa briga! A professora Hilda está vindo pra cá. Querem ser suspensos? Vocês sabem como ela é rigorosa. Ela não vai admitir briga aqui dentro, ainda mais com essa confusão da página anônima rolando na internet. Vocês querem piorar tudo? Por favor! A turma toda vai ser prejudicada por causa de vocês dois. Eu vou abrir a porta de novo antes que ela perceba.

A Natália fora a representante de turma no ano passado. A eleição deste ano seria mais para a frente, então ela ainda exercia certa influência sobre a galera. Ela é uma das melhores alunas da turma, por isso quando fala é quase lei. Todo mundo sentou e ficou quieto.

Quando a professora Hilda entrou, achou o clima meio esquisito.

— Que silêncio é esse? — Ela riu, enquanto colocava o material em cima da mesa. — Toda vez que entro em sala vocês estão falando sem parar... Aconteceu alguma coisa?

— Nada, professora... — a Natália foi a primeira a responder. — Alguma coisa, pessoal?

Todo mundo começou a falar que não, negando com a cabeça. Foi tudo muito ensaiado. Dava para ver de longe que todos estavam mentindo. Ela continuou olhando desconfiada para a gente, mas resolveu deixar pra lá e pediu que abríssemos o livro no capítulo dois.

Eu sentia o rosto arder, não sei se de raiva ou vergonha de ter feito aquilo. Nunca fui de brigar, nunca gostei de violência. Minhas mãos estavam tremendo e suadas. O Adolfo, ao contrário, estava branco feito cera e ficou a aula toda de cabeça baixa. Comportamento oposto ao que tem tido nos últimos tempos, já que fica andando por aí de peito empinado, olhando todos com ar de superioridade.

Aos poucos fui me acalmando e consegui olhar para o resto da turma e para a matéria no quadro. Anotei tudo mecanicamente, sem nem saber do que se tratava. O Arthur estava bastante envergonhado, mas enxerguei em seu olhar um "obrigado". As meninas estavam me encarando e sorrindo. Que coisa estranha.

Quando as aulas terminaram, o Adolfo levantou rápido, sem falar com ninguém, nem com os novos amiguinhos arruaceiros. Ele parecia um foguete atravessando a sala, indo em direção ao portão de saída. Arrumei a mochila, saí da sala e a Júlia já estava me esperando do lado de fora.

Caminhamos por um bom tempo sem dizer nada. Até que ela tomou a iniciativa.

— Desculpa, Zequinha, mas eu preciso falar. — Ela, que já tinha decidido me chamar só de Zeca, voltou ao apelido antigo. — Pode me xingar, pode reclamar, mas eu preciso falar!

— Eu sei, Ju. Pode dizer, eu fui um idiota.

— Idiota? Você foi o herói da turma!

— Herói?! — Minha cara de espanto foi tão grande que ela até engasgou com a risada que deu. Parei no meio do caminho e fiquei encarando-a, inconformado, e só começamos a andar outra vez quando um senhor nos olhou de cara feia porque estávamos bloqueando a passagem.

— Herói, sim! Você defendeu o Arthur daquele idiota do Adolfo. Muita gente queria ter feito isso. Ele está simplesmente insuportável.

— Mas ele é meu amigo, eu não devia ter feito aquilo.

— Amigo? Aquele lá não é amigo de ninguém. — A Ju gesticulava sem parar.

— Eu poderia ter levado uma bela suspensão, ou alguma coisa assim. Ainda bem que a professora não notou nada. Quer dizer... ficou meio desconfiada, né? Se ela tivesse insistido no assunto, ia dar o maior problemão.

— A Natália avisou a tempo. Se fosse no ano passado, do jeito que ela era toda certinha e se achava a chefe de todo mundo, aposto que tinha dedurado vocês dois. Acho que ela até gostou do que você disse, os garotos foram muito malvados com o Arthur. Aquilo de dizer que o garoto não tinha pai foi a gota-d'água.

— Pra mim também! — concordei. — Eu tenho pai, e sinto muito a falta dele. Mas, se quiser, posso ligar para ele e falar isso. Ontem mesmo marquei de almoçar com meu pai, em plena segunda-feira. O Arthur não pode fazer isso. Achei muita maldade o Adolfo falar aquilo. Não só ele, né? Os outros também. Aí, quando dei por mim, já estava segurando o Adolfo pelo colarinho.

— Eu notei um sorrisinho de satisfação no rosto da Natália. Acredito que, lá no fundo, apesar de brigas serem contra as normas do colégio, ela também achou que o Adolfo merecia a lição. Mas, quando percebeu que uma briga séria ia começar, tratou logo de encerrar tudo por ali.

— Foi a minha sorte. Ele é mais forte que eu, e no mínimo eu ia ficar com o nariz quebrado! — Àquela altura eu já estava mais relaxado com o desabafo e caí na risada, imaginando o curativo.

— Olha, vou te contar uma coisa, viu? Fiquei até com ciúmes... — ela falou, fazendo beicinho.

— Ciúmes? Queria ficar com o nariz quebrado?!

— Não, seu bobo! — Ela riu. — Dos olhares das meninas.

— Olhares? Que olhares? — Eu fingi que não havia notado.

— Elas estavam babando pelo novo herói da turma. Sabe aquele olhar de admiração? Não que elas gostem de violência, muito pelo contrário. Foi a sua reação. Ninguém esperava isso. Você sempre foi tranquilo, na sua. Nunca vi você brigar. Todo mundo estava revoltado, mas ninguém teve coragem de enfrentar o Adolfo. As garotas ficaram suspirando. Fiquei com ciúmes...

— Não fica com ciúmes não, Ju. Sou todinho seu. — Ela não fazia ideia de como isso era verdade. — Só seu.

— Acho bom! Olha só, já que o assunto do dia é o Adolfo, tenho uma coisa para te contar.

— O quê? — Eu podia adivinhar que tinha algo a ver com aquela conversinha idiota.

— Ontem ele me esperou na saída do cursinho de inglês. Veio com o maior papo que estava a fim de mim e tentou me beijar.

— Ele tentou te beijar? — Senti meu coração disparar.

— Tentou. E eu senti um nojo enorme. — Ela fez uma careta.

— Ele tá fumando, né? Credo! Parecia que eu estava prestes a beijar um cinzeiro sujo, um horror! Dei um empurrão tão forte que ele quase caiu no chão. — Ela riu. — E olha que eu sou bem menor que ele. Acho que o Adolfo não esperava a minha reação.

— E aí? O que aconteceu depois? — Eu estava ansioso.

— Falei pra ele nunca mais fazer aquilo, dei as costas e fui embora. — Ela caiu na gargalhada e eu também, mas, no meu caso, era de nervoso. — Nossa, eu nunca tinha feito aquilo na vida. Ele deve estar se sentindo péssimo. Primeiro é rejeitado por uma garota, o que já deve ter mexido com aquele ego enorme. Depois passou a maior vergonha na frente da turma inteira.

Chegamos ao nosso prédio, e tudo o que eu queria era almoçar e assistir a qualquer coisa na tevê para distrair a cabeça, que estava latejando de dor. Eu ainda estava nervoso com o que tinha acontecido.

— Você vai ficar bem? — Ela pegou a minha mão assim que o elevador chegou ao meu andar. — Quer que eu te faça companhia?

Bem que eu queria. Contar com a companhia da Júlia era sempre bom. Ainda mais depois da conversa que tive com meu pai, me encorajando a falar dos meus sentimentos. E ela falou que tinha sentido ciúmes das garotas. Será que era sério? Ou mais uma de suas brincadeiras? No entanto aquele não era o melhor momento para descobrir. Eu precisava ficar sozinho.

— Valeu, Ju. Mas tenho um monte de coisas pra fazer — menti.

— Fica bem! — Ela se pôs na ponta dos pés e me deu um beijo no rosto. — Qualquer coisa é só chamar.

Esquentei a comida e liguei a tevê da sala. Procurei um filme qualquer e tentei me concentrar em outra coisa que não fosse a briga. Depois de uns quinze minutos, notei que tinha parado de ler as legendas. Eu nem sabia mais qual era o assunto. Fui para o meu quarto e liguei o computador. Tentei um jogo. Também não deu muito certo. Então deitei um pouco para pensar em tudo o que tinha acontecido.

Segundo a Ju, as meninas tinham ficado admiradas com a minha reação, defendendo o Arthur. Eu fiquei mesmo bem contrariado com o que fizeram com ele, mas será que eu tinha tanto mérito assim? Era tão herói assim? Acho que não. Na verdade, acho que o que me motivou mesmo foi o ciúme que eu estava sentindo da Júlia. Desde aquele papo do Adolfo, dizendo que queria ficar com ela, não paravam de passar vários filmes na minha cabeça dos dois juntos, se beijando. Mas, no fim das contas, ela mesma o rejeitou. Se outro cara tivesse falado aquelas coisas nojentas, eu teria tido a mesma reação? Tipo, algum daqueles três novos comparsas dele? Claro que eu não teria gostado, mas teria partido para cima de algum deles? Não sei. Ai, que droga! Saudades do tempo em que a minha única preocupação era passar de fase no videogame. Crescer não é nada fácil...

Nessa de ficar deitado pensando na vida, acabei cochilando. Acordei sobressaltado com o toque do celular.

— Oi, Cláudio. Nossa, que falatório é esse?

— Tô no shopping. Preciso conversar com você urgente!

— Não tô ouvindo direito.

— Vou usar o microfone do fone de ouvido. Não posso falar alto. Preciso conversar com você urgente! Melhorou?

— Melhorou. Fala. O que tá pegando?

— Tô esperando para entrar no cinema.

— Ué, tá sozinho?

— Tô, ué. Por quê?

— Eu não gosto de ir ao cinema sozinho. Acho chato.

— Palhaçada isso. Eu estava a fim e pronto. Até prefiro vir sozinho às vezes. Mas quer calar a boca e ouvir logo o que eu tenho pra dizer?

— Hum?

— A Júlia tá aqui — ele sussurrou.

— Ah, é? — estranhei. — Poxa, ela não disse que ia. Nem me chamou.

— Será que é porque ela está aqui com o Rodrigo?

— Rodrigo? Da 902?

— Ele mesmo.

— Eles estão... humm... juntos? Tipo... ficando? — minha voz quase não saiu.

— Ainda não. Mas ela tá toda sorrisos, pipoquinha e guaraná. Eu falei tanto, Zeca. Confessa logo que você é a fim dela, anda!

Pensei que a quase briga com o Adolfo tinha sido uma das piores coisas dos últimos dias, mas eis que a vida vem e me mostra que eu estava errado. Bem que o meu pai me falou que qualquer dia desses alguém ia aparecer querendo ficar com a Júlia. Mas não precisava ser no dia seguinte!

— Tá bom, Cláudio. Tá bom! — falei, impaciente. — Eu gosto da Júlia. Pronto, tá satisfeito? De que adianta eu confessar isso agora?

— Adianta para o que pretendo fazer!

— Ela te viu? Você falou com ela?

— Não. Tô me escondendo. Daqui a uma hora e meia, esteja aqui na porta do cinema, sala 4.

— Pra quê? Dar os parabéns para o Rodrigo? — retruquei, irritado.

— Confia em mim, cara. Vem pra cá. Vou desligar agora.

Não tive nem tempo de protestar. O que será que o Cláudio pretendia fazer? E tinha que ser o Rodrigo? Justo o cara mais legal da 902? Competição injusta. Droga. Estou cansando desse negócio de sentir vontade de socar os caras que se aproximam da Júlia.

Olhei a carteira e quase não tinha dinheiro. Como eu não sabia o que o Cláudio queria aprontar, precisava de recursos extras.

— Maninhas, vocês têm uma grana pra me emprestar?

— Viu como ele é interesseiro, Yohana? Ele nos chamou de maninhas. Olha que carinha fofa a dele.

— Né? — A Yohana riu. — De repente, se você disser que tem as irmãs gêmeas mais legais e lindas do mundo, a gente pode pensar no seu caso.

— Querem parar de pegar no meu pé? — bufei. Mas, como eu precisava da grana, cedi à chantagem. — Eu tenho as irmãs gêmeas mais legais, lindas e generosas do mundo.

— Que lindinho! — A Yasmin ficou na ponta dos pés e apertou as minhas bochechas. — Ficamos realmente comovidas com esse carinho espontâneo. Mas estamos sem nenhum tostão.

Soltei um grunhido e saí do quarto delas pisando duro. E elas, claro, rindo sem parar da minha cara.

Tomei um banho rápido, me arrumei e parti para o plano B. Quando entrei no salão de beleza da minha mãe, senti um monte de olhares femininos voltados para mim.

— Olha, gente! Esse é o meu filho mais velho, o Zeca. Ele não é lindo? — A minha mãe me puxou pela mão e saiu me exibindo como se eu fosse um troféu, me apresentando para meia dúzia de senhoras. E o tempo que o Cláudio me deu estava quase se esgotando.

Quando finalmente entramos no escritório da minha mãe, nos fundos do salão, ela disse:

— O que você veio fazer aqui, filho? Todo arrumadinho e cheiroso assim é porque vai sair. Tá precisando de dinheiro, né?

— Viu só como você é a mãe mais perfeita de todas? — Dei um beijo nela.

— Perfeita, sei... Você nunca aparece aqui. É claro que teria a ver com dinheiro. Mas, vem cá... já fez suas lições de casa? Aonde você pensa que vai assim, no meio da semana?

— O Cláudio me ligou do shopping. Ele brigou com a mãe, tá meio chateado. Preciso dar uma força pra ele. Você sabe, né, mãe? Amizade é para os dias ruins também. Ou não? — menti.

— Dias ruins... — Ela deu um sorrisinho torto. — Toma aqui, acho que dá para um lanche. E é só! Não demora.

— Prometo! — Dei outro beijo nela. — Valeu!

Cheguei correndo ao shopping e dei uma olhada nas salas de cinema. Eu estava atrasado, mas por sorte o filme ainda não havia terminado. Só quando parei diante daquela porta fechada, a de número 4, é que me dei conta do que estava por vir. A Júlia de mãos dadas com o Rodrigo? Abraçados? Se beijando? Não. Não! Por que é que eu fui ouvir o Cláudio? Quando a possibilidade de fugir começou a falar alto e cheguei a me mexer na direção das escadas rolantes, a porta se abriu e as pessoas começaram a sair. E, para a minha surpresa, aparecem a Ju, o Rodrigo e o Cláudio conversando, na maior animação. Quer dizer, a Ju e o Cláudio pareciam animados. O Rodrigo nem tanto.

— Oi, Zeca! — A Júlia me olhou espantada. — O que você tá fazendo aqui?

— Vim comer alguma coisa com o Cláudio. Eu é que estou surpreso, não sabia que você viria ao cinema hoje. — Era a segunda vez, em menos de quinze minutos, que eu mentia. — E aí, Rodrigo? Beleza? — Ele apenas deu um breve aceno de mão.

— Hoje é o dia das surpresas, Zeca! — O Cláudio estava sorridente demais, aquilo devia fazer parte do plano. — Eu estava chateado por ter vindo sozinho ao cinema e acabo encontrando esses dois aqui. Ainda bem que nessa sala os lugares não são marcados. Ahhhh, foi a minha sorte, né, Rodrigão? — E deu um tapinha no ombro dele, obrigando o Rodrigo a forçar um sorriso. — E agora o grupo tá completo. Vamos comer um hambúrguer?

— Acho que não vai dar, Cláudio... — O Rodrigo passou a mão de forma nervosa pelos cabelos. — Eu já estou indo. Você quer que eu te leve para casa, Júlia?

— Você sabe que o Zeca é vizinho da Júlia, né? — O Cláudio continuava com aquela simpatia toda, o que estava me dando um tremendo nervoso. — Fica com a gente, Ju!

— Obrigada, Rodrigo. Vou voltar com o Zeca, se você não se importar. Que pena que você precisa ir embora. — Ela deu um beijo no rosto dele.

— Claro que não me importo. Tchau, então. A gente se vê no colégio.

O Rodrigo disparou rumo à escada rolante, do mesmo jeito que eu estava querendo fazer alguns minutos atrás. Demoramos ainda um tempinho para decidir a que lanchonete iríamos. Como a Júlia tinha comido pipoca, não estava com tanta fome e pediu apenas um milk-shake. Já eu, por causa daquele estresse todo, pedi logo um cheeseburguer duplo. E, justo quando o Cláudio ia pedir o dele, tirou o celular do bolso e começou a falar. Não ouvi tocar. Mas, é claro, aquilo fazia parte da armação toda.

— Oi, mãe! Bem na hora que eu ia comer? Tá bom, tá bom. Tô indo.

— A mamãe tá chamando, Cláudio? — provoquei assim que ele desligou o celular. Ou fingiu desligar.

— Poxa, queria tanto comer com vocês. Vou ter que ir, senão já viu. Até amanhã, gente.

Olhei para a Júlia e começamos a rir.

— O Cláudio é uma figura. Ele me convida para comer e me larga aqui.

— É sim. Mas esse jeito dele, completamente doidinho, acabou me salvando. — Ela suspirou.

— Salvando você?

— Bom... É que... É que assim que entrei em casa, quando voltamos do colégio, o Rodrigo me ligou e me chamou para vir ao cinema, e eu acabei aceitando. Só que me arrependi no segundo em que pisei aqui no shopping. Mas aí o Cláudio apareceu do nada, assim que a gente se sentou, e ficou bem do meu lado. E isso atrapalhou os planos do Rodrigo. Acho que ele se sentiu intimidado.

— Ele queria ficar com você. — Mordi o sanduíche com tanta raiva que senti o maxilar doer.

— Já era a segunda vez que ele me chamava para sair, e não tive cara de recusar.

— Segunda vez?

— Pois é... — Ela tomou um gole do milk-shake. — No ano passado, na semana das provas finais, ele me chamou para sair. Mas eu só queira estudar para passar logo de ano e recusei.

— Então ele é a fim de você desde o ano passado...

— Parece que sim. Ele disse que tomou coragem pra falar comigo depois de conversar com você, Zeca. — Ela me olhou de forma estranha, parecia magoada.

— Depois de conversar comigo?

— Ele me contou que perguntou pra você se a gente namorava, já que vivíamos juntos. E você respondeu que não, que me considerava praticamente uma irmã.

Tentei puxar aquela conversa na memória. Eu me lembrava vagamente daquilo. Eu disse que ela era praticamente minha irmã? Hoje eu nunca falaria isso. Se é que eu tinha mesmo dito aquela besteira. Olhei para ela e entendi o motivo de parecer magoada. Ela estava tomando o resto do milk-shake e parecia hipnotizada pelo guardanapo que torcia entre os dedos. Se a

Júlia dissesse para alguém que me considerava um irmão, do jeito que me descobri apaixonado por ela, sei lá... acho que eu ia querer desaparecer do mapa. Sumir no mundo... *Sumir?*

— Uma semana antes do resultado das provas? E logo depois você sumiu por quase três meses na fazenda dos seus avós. É isso?

— Ãhã... Mais ou menos isso... — ela confirmou, mas mal olhava para mim.

— Se eu disse isso para o Rodrigo, sinceramente, não lembro. Mas de uma coisa eu tenho certeza: eu não te considero uma irmã.

Eu segurei a mão dela, a que torcia o guardanapo. Estava gelada. A que estava segurando o copo certamente estaria, mas aquela não deveria estar.

— Ju, olha pra mim.

Senti que ela relutou um pouco, mas enfim levantou o olhar.

— Você me considera um irmão?

Ela me encarava, séria. Logo a Ju, que fala sem parar, estava calada. Foram longos segundos até ela finalmente responder:

— Não. Você é um grande amigo, o melhor que eu poderia ter. Mas nunca um irmão. Porque o que eu sinto por você é muito, muito maior que isso.

Senti a respiração dela ofegante, assim como a minha. Será que eu tinha entendido direito?

— Ju, eu preciso dizer que...

— Zeca, vamos embora? — Ela puxou a mão que eu ainda estava segurando e se levantou num pulo. — Já está tarde e eu ainda não fiz as tarefas de amanhã.

— Ju, mas eu...

— Eu quero ir embora. Por favor.

Ela estava séria, então não insisti. Peguei as bandejas e coloquei as embalagens na lixeira. No caminho para casa, uns quinze minutos a pé, o silêncio só era quebrado por raros comentários sobre uma vitrine, alguma revista pendurada em uma banca de jornal ou sobre o clima.

Já no prédio, quando o elevador chegou ao terceiro andar, empurrei a porta, mas a segurei por um instante.

— Você quase não falou nada, Ju. Está tudo bem?

— Só estou cansada. E meio envergonhada pelo Rodrigo. Ele deve ter ficado chateado.

— Você vai ligar pra ele? — *Diz que não, diz que não, diz que não!*

— Não... — *Ufa!* — Amanhã falo com ele no colégio. Se eu ligar, ele pode interpretar errado. Ele é legal, mas eu não tô a fim.

— Até amanhã, então. — Dei um beijo em seu rosto.

— Até amanhã. — Ela sorriu, mas ainda parecia constrangida.

Troquei de roupa e liguei para o Cláudio.

— Pô, Zeca! Até que enfim! Arrisquei perder o pouco de charme que tenho com os socos na cara que ia levar do Rodrigo para você se declarar pra Júlia. Por favor, me diz que você fez isso!

— Faltou pouco.

— Caraca. Não acredito! Por que você é tão lerdo?

— Aconteceu uma parada estranha. Deixa eu te contar.

Contei como ela tinha ficado esquisita e falei da tal conversa que supostamente eu tive com o Rodrigo. Lembrei também que, assim que ela voltou de viagem, me contou que precisava se desapegar de alguém, fazendo mistério.

— Esse alguém era você, brother. Tá na cara.

— Será?

— Que garota curte ouvir que o cara de quem ela gosta a considera uma irmã?

— Eu tentei me abrir, mas ela me cortou. Acho que ficou nervosa.

— Se ficou nervosa é porque é verdade. Dá um tempo pra garota se acalmar e tenta de novo.

— De qualquer forma, valeu por ter atrapalhado o lance dos dois.

— Foi divertido. — Ele gargalhou. — Se cuida, cara. Até amanhã.

— Até amanhã.

No dia seguinte, o Adolfo continuava com a mesma cara de deboche de sempre, como se dissesse: "Sou mais importante que você". Mas estava na dele, sem aprontar com mais ninguém. Bom, pelo menos dentro da classe. Agora ele só andava com aqueles três pra cima e pra baixo. Mas quer saber? Que se dane!

A Júlia já parecia normal, se posso dizer assim. Ela sempre fez brincadeiras e me lançava caretas engraçadas durante as aulas, mas notei que seu olhar tinha mudado. Não sei explicar direito. Se tem uma coisa que ando ultimamente é confuso. Ela queria me falar alguma coisa, mas, na minha confusão, eu não entendia o que era e tinha medo de perguntar. Mais confuso ainda seria tentar retomar a conversa da lanchonete. Eu quase falei. Quase! E, quem diria, a grande chance estava por vir na sexta-feira...

Pelo visto a felicidade reinava em casa naquela manhã de sexta. Fui para a cozinha tomar o café e encontrei as minhas irmãs eufóricas. Motivo? O tal Mário Antônio ia fazer um show no clube perto de casa naquela noite.

— Mãe, a gente precisa ir ao camarim! — a Yohana gritou feito louca, enquanto minha mãe se acabava de rir, quase engasgando com a torrada. — Ele sempre fala com as fãs depois do show.

— É, mãe! Não podemos perder essa chance — completou a Yasmin. — Imagina só colocar a minha foto juntinha com o Mário Antônio no meu perfil nas redes sociais? Ele é tão, mas tãããããão fooooofo!

Por que as meninas em geral adoram aumentar a quantidade de vogais nas palavras? É *fooofo, liiiindo, ameeeeei...* Isso é genético?

— Yohana, a gente precisa combinar tudo antes. Precisamos ter maturidade e não podemos brigar caso o Mário Antônio queira namorar uma de nós duas... — a Yasmin falou com um tom de preocupação tão grande na voz que quem quase engasgou com a torrada, de tanto rir, fui eu.

— Minhas queridas irmãzinhas, prestem atenção: vocês são duas pirralhas. Acham mesmo que o cara vai cair de amores por uma de vocês duas? Fala sério!

— Lá vem o chato de plantão! Nem adianta, Zeca, você não vai estragar a nossa felicidade — a Yohana se defendeu. — E olha que quem corre o risco de conquistá-lo é a Júlia, hein? Toma cuidado, irmãozinho.

— Como assim? — De repente o negócio perdeu a graça.

— *Como assim?* — A Yasmin lentamente colocou um pedaço de bolo na boca, fazendo o maior suspense. — A Júlia não contou que vai ao show também? Já pensou se o Mário Antônio se apaixona por ela? Ia ser bem feito pra você.

— Não entendi por que seria bem feito pra mim.

— Não se faça de tonto, Zeca! — a Yasmin falou, botando as mãos na cintura. — Pensa que a gente não notou a sua cara de bocó pra Júlia depois das férias? Só falta babar na camiseta. Você tá apaixonadinho pela sua melhor amiga.

— Você está doida, Yasmin! Está vendo coisas onde não existem.

— Quem está doido aqui é você, Zeca — dessa vez foi a Yohana quem falou. — Só que doidinho de amores pela Júlia! Olha, nós duas já conversamos e decidimos que gostamos da ideia de tê-la como cunhada.

— Isso mesmo, maninho! Quando é que você vai se declarar? — A Yasmin bagunçou meu cabelo.

— Eu? Me declarar? — Meu coração disparou só de pensar nisso.

— Sim, se declarar! Eu acho que ela também gosta de você... Confessa, vai! A gente te ajuda.

Eu não queria confessar que estava apaixonado pela Júlia justamente para as duas garotas mais fofoqueiras que eu conhecia.

Mas, ao mesmo tempo, elas eram minhas irmãs... As três, minhas irmãs e minha mãe, pararam na minha frente com um sorrisinho no rosto, só esperando a confissão. Eu não tinha mais como esconder nada delas.

— Tá bom, eu confesso. Eu gosto da Júlia. Pronto, falei! — bufei.

— Ah, eu sabia! — minhas irmãs falaram em coro e me abraçaram, quase me enforcando.

— A rabugice do meu filho mais velho só podia ser paixonite.

— Ah, mãe, até você vai pegar no meu pé? — Apesar do nervosismo, tive que rir do jeito como ela falou.

— Filho, você conhece a Júlia há anos. É a coisa mais normal do mundo se apaixonar pela melhor amiga.

— Só que você falou muito bem, mãe. Melhor amiga.

— Mas a melhor amiga pode virar namorada. Por que não? — ela insistiu.

— Ela também gosta de você, Zeca — a Yasmin falou, batendo palminhas.

— Como pode ter certeza disso? — Arregalei os olhos.

— Vocês, homens, são muito bobos. Ai, dá até pena! — a Yohana disse em tom de deboche. — Ela já deu vários sinais, seu cegueta.

— Sinais? Que sinais?

— Quando ela conversa com você, sempre dá um jeito de colocar a mão no seu braço ou passar a mão no seu cabelo... Ela sempre joga os cabelos para o seu lado, fala fazendo beicinho...

— Ah, mas vocês, garotas, são assim mesmo. Jogam cabelo e fazem beicinho pra tudo — discordei.

— Zeca, confia no que suas irmãs estão falando — minha mãe disse e me deu um beijo na bochecha.

— Não sei se consigo. — Olhei para as duas quase em desespero. — E se vocês estiverem erradas? E se eu pagar mico, ou melhor, um gorila me declarando pra Júlia?

— Já sei! — Minha mãe fez uma cara de quem teve a ideia mais genial dos últimos tempos. — Você vai hoje no show do Mário Antônio, no lugar da sua prima. A Vanessa tá com uma baita gripe e o ingresso dela está sobrando.

Agora já era apelação demais. Eu, no meio daquele show medonho do galã de quinta categoria? Minha mãe ia ao show para tomar conta das minhas irmãs, até aí tudo bem. Mas eu ir também? No que isso me ajudaria a conquistar a Júlia? Ela só teria olhos para aquele cara sem graça em cima do palco.

— Ai, mãe! Não sei se é uma boa ideia — a Yohana protestou. — O Zeca vai ficar o tempo todo reclamando. Ele não gosta do Mário Antônio.

Então a campainha tocou. E advinha só quem era? A Júlia.

— Gente, por favor! Disfarcem na frente dela. Eu imploro! — tentei sussurrar antes que minha mãe abrisse a porta da cozinha para ela entrar.

— Bom dia, família! — A Júlia entrou e, felizmente para mim, não notou as caras suspeitas que as três estavam fazendo, apesar de eu ter implorado para disfarçarem. — Hummm, esse bolo tá com uma cara boa.

— Sente aí, querida! Corte um pedaço. — A minha mãe colocou um pratinho na frente dela.

— E aí, meninas, que horas a gente vai sair para ir ao show do Mário Antônio? — a Júlia quis saber.

— Seis horas? É melhor a gente sair mais cedo, para garantir um bom lugar — a Yasmin respondeu.

— Quero tirar várias fotos! E nós vamos tentar ir ao camarim, né? — a Júlia perguntou, empolgadinha demais para o meu gosto.

— Claro! — minhas irmãs responderam em coro, como sempre.

— Tia, a senhora vai com a gente, não vai? — Ela se virou para minha mãe, dando aquele sorriso lindo que tira até a concentração da gente.

Não sei o que aconteceu naquele momento. Acho que fui tomado por um espírito, só pode ser. Antes mesmo que a minha mãe pudesse responder, falei em alto em bom som o que estava me negando a fazer minutos atrás.

— Minha mãe vai sim, Júlia. E eu vou também, no lugar da minha prima que está doente.

— O quê?! — A Júlia, que estava se preparando para cortar mais uma fatia de bolo, até deixou a faca cair na mesa com o susto. — Você vai ao show do Mário Antônio? Não acredito no que estou ouvindo.

— Minha mãe precisa da minha ajuda para tomar conta dessas duas desmioladas. Nada como o irmão mais velho para colocar ordem no pedaço.

A minha mãe fez uma cara tão engraçada que não consegui conter o riso. De repente, todo mundo começou a rir também.

— Meu Deus! Como diria minha querida avó, uma alma se salvou do purgatório neste exato momento — a Júlia brincou.

— Então está certo, passo aqui às seis horas em ponto para encontrar as mocinhas... e o mocinho. — Ela deu uma piscadinha para mim. — Mas agora vamos pra aula, né? Estamos mais do que atrasados!

O dia transcorreu normalmente. Mas preferi ocultar dos amigos que ia ao show do cara. Sério, eu não estava a fim de ser zoado por eles. Nem eu estava acreditando naquilo.

Quando faltavam dez minutos para as seis, a Júlia chegou. Ela estava linda! Os cabelos, ainda molhados, estavam tão cheirosos que ela nem precisou chegar mais perto para eu sentir o perfume.

A Yohana e a Yasmin, que a princípio detestaram a ideia de eu ir, no fim já estavam se metendo no meu guarda-roupa e escolhendo o que eu iria vestir. Elas achavam mesmo que seria minha grande chance de conquistar a Júlia. E eu ainda tentava saber como elas tinham tanta certeza disso.

— Eu a vejo todos os dias, meninas, o que vai ser diferente hoje?

— A cada dia eu me espanto mais com a sua burrice, Zeca! — A Yohana suspirou. — O lugar vai ser diferente, vai ter música e você não vai estar com aquele uniforme horroroso, né?

E mais ordens das duas:

Passe aquele perfume que você ganhou no Natal!

Ajeite esse cabelo!

Escove os dentes!

Deixe umas balinhas de menta no bolso!

Leve um dinheirinho e pague pelo menos um refrigerante pra garota!

A palavra que mais define minhas irmãs é *entusiasmo*. Elas ficam entusiasmadas com tudo, é impressionante. Aquela empolgação toda até me animou, e senti que, se tudo desse certo como elas planejavam, eu poderia ter coragem para tentar algo.

O clube era praticamente na esquina do prédio, então fomos a pé. Ao atravessar a rua, a Júlia segurou a minha mão. Eu olhei para ela e ela sorriu para mim. Sorri de volta. Mesmo já estando do outro lado da rua, continuei segurando sua mão, mas fui obrigado a soltá-la quando tivemos que mostrar os ingressos na entrada do clube.

Nem preciso dizer que oitenta por cento do público era feminino. Quando o show começou, a gritaria foi tanta que pensei que ficaria surdo. Durante alguns segundos, achei que fosse enlouquecer no meio daquelas histéricas, mas, quando olhei para o lado e a Júlia sorriu para mim, mudei de ideia. Devo ser mesmo um bocó, como dizem as minhas irmãs, para aturar aquela maluquice toda só para ficar do lado dela.

Lá pelas tantas, me peguei até cantando uma música do cara. De tanto que elas ouvem isso todos os dias, acabei aprendendo por osmose. Foi nessa hora que a Júlia tocou de novo na minha mão.

— Zeca, você, que é alto, tira uma foto do palco pra mim? — ela pediu, me entregando o celular.

Tirei umas cinco fotos do palco e, antes de devolver o celular, acionei a câmera frontal, me inclinei de leve e fiz pose ao lado dela.

— Vamos tirar uma nossa, Ju! Faz tempo que a gente não tira.

— Verdade, vamos sim!

Encostei o rosto bem perto do dela e cliquei. Checamos a tela para ver se a foto tinha ficado boa e ela sorriu, como se tivesse gostado. A gente ainda estava tão perto um do outro que o perfume dela invadiu todos os meus sentidos. Ela me encarou e fez aquele olhar diferente que eu notara dias atrás. Antes eu não tinha conseguido entender o que aquele olhar queria dizer, mas naquele momento tudo fez sentido. Não raciocinei se era certo ou errado, se eu ia me dar mal ou não, ou se ela ia me rejeitar. Eu me aproximei ainda mais e, quando dei por mim, já estava beijando a Júlia.

E aquele foi o melhor beijo da minha vida! Muito melhor do que todos que eu havia imaginado. Foi natural, como se sempre tivesse sido daquele jeito. Eu tinha muito medo de que ela me rejeitasse. Mas, depois daquele lance do shopping, meio que passei a desconfiar que ela pudesse se sentir da mesma forma que eu. E ela não me rejeitou, muito pelo contrário. A Júlia me puxou ainda mais para perto e mexeu no meu cabelo durante o beijo. Não sei quanto tempo aquilo durou, pois, quando dei por mim, a música já era outra. E por sinal era bem agitada, porque todo mundo estava pulando em volta. No entanto, ali, naquele mundo particular, nós dois estávamos paralisados, olhando um para o outro. Segurei aquele rostinho lindo entre as mãos e a beijei novamente, só para ter certeza de que aquilo tudo não era um sonho.

Quando finalmente entendemos que estávamos no meio de um ginásio lotado, sorrimos, olhando ao redor. O mais incrível era que nenhuma palavra tinha sido dita. E nem precisava.

Olhei mais adiante e vi minhas irmãs com cara de choro, como se tivessem assistido a uma cena de cinema. Ainda bem que a minha mãe tinha se juntado a outras mães e não viu o beijo. Ela nunca me viu beijando uma garota, e confesso que eu ia ficar bem constrangido, apesar de saber da expectativa dela.

Ainda sem falarmos absolutamente nada sobre o que tinha acabado de acontecer, assistimos abraçados ao restante do show. Era muito boa a sensação de ter a Júlia nos meus braços. Eu já estava até ficando fã daquele Mário Antônio. Ainda assim, quando o show acabou, eu tinha a ilusão de que elas desistiriam daquela ideia de camarim. Mas estava enganado. E quer saber? Nem liguei. Eu estava tão feliz que nem senti ciúmes da Júlia quando ela tirou foto com ele.

Quando voltamos para o prédio, diferentemente do que sempre fiz, subi mais dois andares e deixei a Júlia na porta de casa.

— Quem diria que eu ia gostar da noite de hoje — falei, segurando as duas mãos dela. — Quando eu poderia pensar que a noite do show do Mário Antônio se tornaria a melhor da minha vida?

— E você finalmente me beijou! Eu não aguentava mais dar tantas indiretas e você não entender.

— Sério? — perguntei meio sem graça, mas chegando mais perto.

— Você é muito desligado, Zequinha. Já estava vendo a hora em que eu teria que falar com todas as letras.

— Eu ia me abrir com você no shopping. Mas você me cortou. Eu senti que você também queria falar. É isso mesmo?

— Você está certo... — Ela me olhava tão profundamente que eu me esquecia até de respirar. — Eu percebi que você ia falar sobre isso e me deu pânico. Eu gosto de você faz tempo. Já tinha me acostumado a ser sua melhor amiga, apesar de tudo, mas aceitar o convite do Rodrigo foi um erro tão grande! Eu fiquei insegura depois da briga com o Adolfo.

— Insegura?

— Com os olhares das garotas. Eu fiquei com tanto medo de te perder para uma delas que aceitei ir ao cinema com ele. Queria arrumar um namorado antes que você me desse a notícia de que estava com outra garota.

— Nossa... Desculpa por ser tão burro. Minhas irmãs vivem repetindo isso. — Fiz uma careta, arrancando risadas dela.

— Tudo bem, eu te desculpo. Mas com uma condição.

— Qual?

— Me beija de novo...

Beijei cada pedacinho daquele rostinho lindo. Beijar a Júlia era bom demais, eu não conseguia parar.

— Não acredito que consegui ficar praticamente três meses longe de você! — Ela me abraçou forte, encostando a cabeça em meu peito. — E pensar que fiz isso de propósito, só pra te esquecer.

— Quando você falou que precisava se desapegar de uma pessoa... era de mim que estava falando?

Ela me soltou do abraço e me olhou com uma fisionomia triste.

— Eu não queria gostar do meu melhor amigo. Então aproveitei as férias para tentar te esquecer. Só que, quando eu voltei e vi você outra vez, percebi na hora que de nada tinha adiantado me afastar.

— Eu também senti o mesmo medo. Como a gente vai ficar agora, Ju? — Uma pontada de preocupação surgiu.

— Como a gente sempre ficou. Só que melhor. Muito melhor, meu namorado... — Sua expressão se suavizou.

— Namorado? — Eu a puxei mais para perto.

— Claro! Tá pensando que vai chegar, beijar e ficar por isso mesmo? — Ela riu. — Eu sei que você queria me namorar. Queria não... quer.

— Metida você, hein? — Caí na gargalhada.

— Metida, não. Realista. Eu te adoro, Zequinha. — Ela deu aquele sorriso lindo que eu amo e é o mais irresistível de todos.

— Mesmo você sendo muito metidinha, eu te adoro também, Ju.

E dei um beijo de despedida nela. E outro. E mais outro...

quele tinha sido um dos melhores fins de semana da minha vida! No sábado, fomos a uma festa de aniversário. Quase metade do pessoal era do colégio, então ninguém ficou muito espantado de ver a gente junto. É lógico que o Cláudio pegou no meu pé.

— Até que enfim os dois assumiram essa paixão!

No domingo, fomos ao shopping ver um filme. Ficar abraçadinho com a Júlia no cinema foi maravilhoso. Sempre foi muito bom ficar com ela como amigos. Agora, como namorados, era ainda melhor. Eu me sentia à vontade. Cheguei a ficar com algumas garotas nas férias, mas nunca tive uma namorada de verdade. A Júlia era oficialmente minha primeira namorada. Com ela, eu não precisava dos tais jogos de sedução dos blogs ou pensar nas perguntas certas. Quando se está com a garota de quem você gosta, tudo é certo. Eu podia ser eu mesmo, sem medo.

Na segunda-feira, na última aula, rolou a seleção para o time de basquete. Na semana anterior, eu tinha treinado bastante com o Cláudio. E, por incrível que pareça, nós passamos! Agora eu teria que treinar pelo menos três vezes por semana, na parte da tarde. Logo os campeonatos começariam e o time precisaria estar bem entrosado.

Estava suado e bateu preguiça de trocar de roupa antes de ir para casa. Saí da quadra com o uniforme de educação física mesmo. Estava distraído, andando em direção ao portão principal e pensando em como minha vida estava boa. Dava até para sentir um sorriso grudado no rosto. De repente, levei um empurrão que quase me jogou no chão. Olhei para trás e vi o Adolfo. Ele estava furioso.

— Qual é a tua, meu irmão? — Veio pra cima de mim.

— Tá maluco, cara? Por que você fez isso? — Começou a juntar gente em volta. E, claro, o Daniel, o Tadeu e o Evandro estavam atrás dele, como se fossem seus capangas. A cena era patética.

— Seu traidor! Eu pensei que você fosse meu amigo. Mas isso foi há muito tempo. Eu estava muito enganado.

— Quer falar de uma vez por todas o que está acontecendo?

— O que está acontecendo? Vou refrescar a sua memória! — Ele me dava uns cutucões no ombro enquanto falava. — Primeiro, eu contei que estava a fim da Júlia, e o que descubro hoje? Que vocês estão namorando! Além daquela traição na sala de aula, me desmoralizando na frente de todo mundo por causa do nerd do Arthur. E agora, para completar, você roubou minha vaga no time de basquete!

— Eu não roubei nada de ninguém! Fiz o teste e passei — me defendi.

— Roubou sim! Você tem inveja de mim, cara!

— Presta atenção no que você está falando! Um monte de besteiras! Desde quando tenho inveja de você, Adolfo? Se liga.

— Tem inveja, sim! Por isso quis me desmoralizar na frente de todo mundo. Isso não vai ficar assim, não! Vai ter troco!

Olhei ao redor e vi minhas irmãs agarradas uma à outra, com cara de choro. Ao lado delas estava a Júlia, indignada com o que estava acontecendo.

— Para com isso, gente! — o Cláudio tentou interferir.

— Não se mete, Cláudio! — o Adolfo gritou e lhe deu um empurrão.

— Me meto, sim! Você está errado, Adolfo!

— Você é muito mariquinhas mesmo, né, Zeca? Precisa de advogado pra te defender? Que fofo! — Ele colocou as mãos na cintura e começou a rebolar, arrancando risadas dos amigos dele.

— Eu sei muito bem me defender. Já você, não dá pra saber... Vive com esses três patetas aí te seguindo. Se você perdeu a vaga no time de basquete, a culpa foi toda sua. Perdeu muito em condicionamento físico porque resolveu se tornar uma chaminé ambulante! Ninguém aguenta mais esse seu bafo de cigarro, cara! Muito menos essa sua marra, de se achar muito macho alfa, arrumando briga. Se liga! Ninguém suporta mais você.

O Adolfo veio com tudo para cima de mim. Só senti o soco na cara e a queda. Consegui revidar e dei um golpe no nariz dele, que sangrou na hora. Então tudo ficou muito confuso, um batendo no outro, e eu só ouvia gritos. Depois senti várias mãos levantando a gente do chão. Eram os inspetores do colégio, e nós fomos praticamente arrastados para a coordenação. Nossas mães foram chamadas às pressas e, meia hora depois, a minha entrou feito um furacão na sala da coordenadora Lívia.

— Olha só, garoto! Não vou dar escândalo aqui, mas em casa você vai ver só. Nunca passei por uma vergonha dessas. Vou falar com o seu pai!

Pegamos três dias de suspensão por causa da briga. Felizmente, o que aconteceu não me tirou do time de basquete. Porém a bronca da minha mãe foi feia. Bem feia mesmo. No início ela nem queria me ouvir. Foi só com muito custo que consegui me explicar, dizendo que ele tinha me atacado primeiro. Minhas irmãs me defenderam e contaram que ele havia começado a provocação, que eu só tinha me defendido. Mas não adiantou muita coisa, ela não estava a fim de conversa. Eu era culpado por brigar e ponto-final.

À noite meu pai veio me buscar para dar uma volta. Ele foi um pouco mais compreensivo, e eu consegui contar para ele tudo o que tentei argumentar, em vão, com a minha mãe.

— Você e o Adolfo eram bem amigos, eu me lembro disso. Como essa amizade, de uma hora para outra, virou competição?

— Não sei, pai. O Adolfo mudou muito. De repente se tornou irresponsável e brigão. Ele se acha o dono da verdade. Até me procurou durante as férias, mas eu sempre inventava uma desculpa para não sair com ele.

— É uma pena que ele tenha mudado tanto. Se você achou melhor se afastar, que seja assim. Mas, filho, evite novas confusões, está bem? Sua mãe teve até que comprar uma camisa nova do uniforme, porque a sua rasgou com a briga. Você teve sorte de não ter quebrado um dente. Imagina só? Logo agora que finalmente está namorando a Júlia? — ele tentou fazer piada para amenizar o clima, mas não adiantou muito. — Não quero ouvir reclamações da sua mãe de novo.

— Ela ficou nervosa à toa.

— À toa, Zeca? Ela foi tirada do trabalho às pressas. Eu estava voltando de uma viagem de trabalho e estava sem sinal. Você precisa entender que temos as nossas responsabilidades e não podemos simplesmente largá-las quando vocês se metem em encrencas. Você e suas irmãs precisam nos ajudar também. E isso vocês fazem estudando e cumprindo com as suas obrigações da melhor forma possível.

— Mais sermão, pai? Eu juro que não fiz nada. Eu estava na minha e ele veio me provocar. Só me defendi.

— Não é sermão, Zeca. Eu entendo que você tenha seus problemas. Mas você precisa entender que os pais também têm. Você ainda é menor e não pode se responsabilizar totalmente pelas suas atitudes. Os pais são cobrados por isso... Bom, agora preciso te levar de volta. Três dias em casa vão ajudar você a esfriar um pouco a cabeça. Conte comigo sempre que precisar.

A primeira manhã sem ir para o CEI foi muito estranha. Ouvi a movimentação na cozinha, e eu deveria estar lá, tomando o café com a minha mãe e minhas irmãs. Mas fingi que estava dormindo. Notei quando minha mãe chegou na porta do meu quarto. Fiquei de olhos fechados até ouvir a porta da sala sendo trancada. Já sozinho, fui preparar alguma coisa para comer, apesar de estar totalmente sem fome. Eu não me conformava com aquilo. Era para ter sido um dia especial. Eu tinha conquistado minha vaga no time e estava pensando em comemorar com a minha namorada, mas tudo o que recebi foi um tremendo soco na cara e broncas injustas. Isso não estava certo.

Passei a manhã toda tentando me distrair. Nada me interessou na internet, nem o jogo que eu mais gostava parecia bom. Até que horas depois, que mais pareceram semanas, minhas irmãs chegaram acompanhadas da Júlia.

— Como você está, Zequinha? — Ela se sentou ao meu lado, na cama, e me deu um beijo.

— Péssimo. Ainda sinto dor por causa dos socos, dos pontapés... Mas o que mais dói é que me sinto injustiçado pela suspensão. Eu não fiz nada.

— A gente sabe disso. — A Yohana estava triste. — Não se falou em outra coisa no colégio hoje.

— E tem mais... — foi a vez da Yasmin. — Não era só no colégio que o Adolfo estava arrumando confusão, Zeca. Ele brigou na rua em que mora e até com um primo. O pai dele foi lá hoje de manhã e tirou ele do CEI. Parece que vai colocar o Adolfo em um colégio onde uma tia trabalha como coordenadora. Assim ela pode ficar de olho nele.

— Nossa. Ir para um colégio novo deve ser uma droga.

— Apesar de tudo, você ainda está preocupado com o Adolfo? — A Ju riu de forma nervosa. — Tenho ou não o melhor namorado do mundo?

— Ah, sei lá se é preocupação... Um dia ele foi meu amigo. Acho muito chato isso. E podia ser eu buscando um novo colégio agora, já pensaram? Enfim, isso já me trouxe problemas demais. Acho que vai ser melhor para ele então... melhor para todo mundo. O colégio vai ter paz agora.

As três se entreolharam de uma forma estranha.

— Contem pra ele, meninas... — a Júlia as encorajou.

— Contar o quê?

— Calma, Zeca... — A Yasmin suspirou, triste. — Aconteceu hoje na hora do intervalo.

Eu ouvi o que minhas irmãs tinham a dizer e, se já estava me sentindo mal, fiquei ainda pior. De repente as paredes do meu quarto pareciam me sufocar. Até que tomei a decisão.

— A coordenadora Lívia precisa saber de tudo isso... Não posso ficar assim, de braços cruzados, esperando poder voltar para o colégio. Vamos lá depois do almoço para conversar com ela? Ela vai ter que escutar a gente.

— Jura que você vai ter coragem? — A Yasmin parecia assustada. — Aparecer assim, sem avisar?

— Sem avisar. Eu vou de qualquer jeito. Vocês vão comigo?

— Vamos. — A Yohana olhou para a Yasmin, que concordou com a cabeça.

— Eu vou com vocês. — A Júlia fez um carinho no meu braço.

Por volta das três horas da tarde, pedimos à recepcionista para falar com a coordenadora. Aguardamos uns dez minutos até que ela autorizou nossa entrada.

— Depois do que aconteceu ontem, eu não esperava ver você em menos de três dias, Zeca... — a dona Lívia usou um tom meio sarcástico, e eu não gostei nada.

— Eu não consegui falar tudo o que gostaria ontem, o clima não estava bom — comecei, usando um tom firme, mas educado. Ela precisava entender que eu não estava ali para brincar. — Eu entendo o motivo de ter sido punido, mas preciso falar algumas coisas. Não só eu, como as minhas irmãs também.

Percebendo que eu falava sério, ela mudou sua atitude e se mostrou mais receptiva.

— Pode falar, Zeca. O que houve além da briga de ontem?

— Eu gosto de estudar aqui no CEI, mas algumas coisas precisam mudar. Fiquei sabendo hoje que o Adolfo não vai mais estar aqui quando eu voltar, mas isso não significa que as agressões vão parar. A briga foi só o resultado de coisas que vinham acontecendo desde o primeiro dia de aula. Tudo piorou porque eu defendi o Arthur. Ele é um ótimo garoto, mas vivem implicando com ele porque ele é bolsista, porque é mais baixo que o resto do grupo e gosta de estudar. Só que até outro dia eu era bem parecido com ele. Como a minha aparência mudou nos últimos três meses, eu também ganhei apelidos. Me chamam de varapau, espanador da lua, pau de selfie, girafa. Eu tento levar tudo na piada, mas tem gente que não consegue.

— Como gêmeas idênticas, nos colocam um monte de apelidos também: xerox, B1 e B2, bananas de pijama, original e cópia, Debi e Loide — a Yasmin resolveu falar, com a voz falhando de nervosismo.

— Nós somos irmãs, mas também somos melhores amigas. — A Yohana segurou a mão da Yasmin. — Fazemos coisas iguais porque gostamos. Mas tem muita gente que implica, e alguns são bem agressivos.

— Eu fiquei sabendo que a Carolina, da 801, está sofrendo perseguição porque usa óculos de lentes muito grossas. Além de ter que aturar os apelidos, ela não conversa com ninguém no intervalo, sempre come sozinha — foi a vez da Júlia de falar. — Uma vez ouvi um garoto do sétimo ano falando que, segundo o pai dele, agora é moda dizer que tudo é bullying. O pai afirmava que também tinha apelido na escola e que não virou um adulto revoltado por isso. Que isso tudo é mídia, coisa pra aparecer.

— Teve um garoto da nossa classe que foi ridicularizado em um grupo na internet. Todo mundo ficava dizendo que ele tinha orelhas de abano. — A Yasmin pareceu bem chateada. — Mas, por sorte, tiraram logo do ar, antes que as ofensas aumentassem. E hoje no intervalo pegamos a Denise vomitando no banheiro. A menina que chamaram de gorda naquele vídeo na página CEI Dark News. — Minha irmã soava preocupada.

— Só que não é a primeira vez — a Yohana falou. — Pensamos que poderia ser algum problema de estômago ou alguma doença. Por causa da fofoca da internet, as pessoas passaram a comentar que ela estava vomitando de propósito para não engordar.

— Por isso resolvemos vir juntos hoje para conversar com você, dona Lívia... — Ela estava com os olhos arregalados para a gente. — Ontem eu acabei trocando socos com o Adolfo. Os meus problemas com ele no CEI acabaram. Mas e os outros? O que pode acontecer amanhã? Mais uma briga? Mais alguém sendo exposto na internet? Ou algo ainda mais sério? A Denise pode estar com bulimia. Eu já li sobre isso uma vez. Talvez os pais dela nem desconfiem. Ela pode ficar muito doente se a gente não fizer nada para ajudar.

Ela se levantou e andou um pouco pela sala. Sua expressão era de angústia, e ela esfregava as mãos de leve no rosto. Continuamos sentados, calados, esperando que ela falasse alguma coisa. Até que ela deu um longo suspiro e voltou a se sentar.

— Obrigada por terem vindo falar comigo. Brincadeiras entre alunos são normais, eu também tive apelidos. Mas tudo tem limite. E, pelo que vocês estão me contando, isso já passou dos limites faz tempo. Bullying não é modinha, como você ouviu de um aluno, Júlia. É coisa séria. E existem três personagens nessa história toda: as vítimas, os agressores e os espectadores.

— Como assim, dona Lívia? — a Júlia perguntou.

— Os papéis de vítima e de agressor estão claros. O espectador é aquele que não sofre o bullying e não comete, apenas assiste. Ele não faz nada, fica calado. O que atrapalha também. Não defende nem denuncia, pois se sente ameaçado, com medo talvez de ser a próxima vítima.

— Eu posso estar errada, mas o agressor também pode ser uma vítima. — A essa altura, a voz da Yasmin já era mais firme. — Não consigo acreditar que uma pessoa queira simplesmente agredir o outro assim, de graça. Quem sabe ele também não está sofrendo e acaba descontando em alguém?

— Você está certa, Yasmin. — A coordenadora sorriu pela primeira vez, e sua expressão era mais leve agora. — Vou apurar todos os casos que vocês relataram aqui e combinar com a direção a melhor forma de combater tudo isso. Coordenação, professores, alunos, pais e responsáveis, todos juntos. Parabéns pela coragem. Vocês foram exemplares. Apesar disso, não vou poder retirar sua suspensão, Zeca. Entendi todos os seus pontos de vista, mas são normas do colégio.

— Tudo bem. Mesmo assim, estou me sentindo aliviado. Eu tinha que vir aqui. Todos nós, na verdade... — Olhei para a Júlia e para as minhas irmãs, que sorriram para mim.

À noite, minha mãe ainda estava nervosa. Mal trocou meia dúzia de palavras comigo. Fiquei na minha. Mas, na noite seguinte, tudo mudou.

— Seu pai e eu fomos chamados na coordenação hoje à tarde — ela disse, entrando no meu quarto e puxando a cadeira da escrivaninha. — Eu devo um pedido de desculpas a você.

— Desculpas, mãe? Por quê? — Senti as mãos suadas.

— Eu ando tão ocupada com o trabalho que não percebi o que estava acontecendo. Apenas me deixei levar pela raiva de ter sido chamada no meio do dia porque você tinha brigado. A coordenadora nos chamou para nos parabenizar pela sua iniciativa e das suas irmãs, que foram relatar os problemas que estão ocorrendo no colégio. Eu também achei que vocês foram corajosos. Fiquei orgulhosa dos meus três filhos. Eu gostaria de ter ido com vocês. Reconheço que não dei abertura para você falar, que estava muito irritada. Mesmo assim, apesar de você ter saído do castigo por algumas horas, foi por uma boa causa.

— Desculpa por ter saído sem avisar, mãe... — Comecei a respirar mais aliviado. — Eu não podia ficar quieto. As minhas irmãs foram as grandes incentivadoras. A Ju também, mas as duas foram muito maduras. Elas ficaram impressionadas com o caso da Denise. E eu aqui, achando que elas eram doidas...

— Mais do que irmãos, ontem vocês foram amigos. E eu fiquei muito feliz pela união de vocês por uma causa. — Ela enxugou uma lágrima.

— E o meu pai? O que ele achou disso tudo?

— Ele se sente da mesma forma. Pra variar, vai viajar hoje à noite para algum lugar, não sei... — Ela suspirou. — Depois vai ligar ou marcar de se encontrar com vocês.

— Fazia tempo que vocês não se viam... — Eu estava curioso.

— Ele sempre passa na portaria para pegar a gente, ou vamos encontrá-lo. Quando precisam resolver alguma coisa, é sempre por telefone. Foi tudo bem?

— Sim... — Ela sorriu. — Não sou inimiga do seu pai, nós apenas nos afastamos. Eu até que gostei de reencontrá-lo. Somos adultos, certo? E somos pais de vocês. Queremos o melhor para os três. Agora eu quero um abraço do meu filho mais velho.

E aquele foi um abraço muito bom. Eu tinha ficado magoado por ela se recusar a ouvir a minha versão da história. Mas, agora que tudo estava explicado, eu me sentia mais leve. Até que as minhas irmãs apareceram arrumadas na porta do meu quarto, ambas sorrindo de orelha a orelha.

— Vai se arrumar, Zeca. — Minha mãe apertou minhas bochechas e, dessa vez, eu não reclamei. — Vamos comer hambúrguer com batata frita, apesar de não ser nada nutritivo. Resolvi mimar vocês um pouquinho. Mas não se acostumem, hein?

A Yasmin e a Yohana invadiram meu quarto e se juntaram a nós num abraço coletivo. Eu podia ser o único garoto daquela casa e, em certos momentos, até ficava de saco cheio de ouvir falar de maquiagem ou da última moda em sapatos. Mas quer saber? Não trocaria essas três por nada!

Ter que prestar atenção nas aulas e ir aos treinos de basquete não estava sendo nada fácil. O nono ano era puxado, mas eu estava curtindo muito. Logo fiz amizade com os garotos do time.

Minha cabeça estava a mil: o namoro com a Júlia, a cada dia mais legal; o campeonato de basquete, que logo começaria; as provas de fim de semestre, que exigiam mais concentração e estudos do que no ano passado. E não podia dar mole com as notas, pois, se meu rendimento caísse, eu poderia ser removido do time, e isso eu não queria de jeito nenhum.

Já estávamos na última semana de maio, quase três meses depois da briga com Adolfo. Eu nunca mais soube dele. E acho que nem ninguém do colégio, pois ele se afastou de todo mundo. Quase nem atualizava mais o perfil na internet.

A nossa ida à coordenação logo depois da briga não surtiu efeito de cara, mas já começamos a ver alguma movimentação do colégio em relação ao bullying. Os pais de todos os alunos foram chamados para mais reuniões. Além disso, alguns psicólogos apareceram para dar palestras sobre respeito pelas diferenças e até mesmo um grupo de teatro fez uma apresentação.

É claro que nem todo mundo curtiu as novidades, sempre existem aqueles grupos mais resistentes. Mas eu me senti orgulhoso por fazer parte da mudança, mesmo que ela esteja acontecendo aos poucos.

Rolou a eleição para representantes de turma e a Natália venceu novamente a votação da nossa classe. Cada representante ganhou uma espécie de brasão, se é que posso chamar assim. É um tipo de broche para prender na blusa do uniforme. Está escrito "Aliado da Boa Convivência CEI". Os representantes ficaram responsáveis por monitorar comportamentos que possam ser considerados abusivos, antes mesmo que cheguem a ser classificados como bullying. Cada um poderia escolher dois assistentes, e eu pedi para ser um deles. E, de novo, claro que teve gente que não curtiu. Mas a grande maioria entendeu quanto isso era importante.

Nós nunca descobrimos quem fez aquela página na internet que detonou o Ricardo e a Denise. Quem criou ficou impune. Apesar de ter ficado chateado com a brincadeira, o Ricardo levou numa boa. E as minhas irmãs fizeram amizade com a Denise e me contaram que ela passou a fazer terapia por causa do distúrbio alimentar.

A vida estava do jeito que eu sempre quis. Meu humor tinha melhorado muito, até com as minhas irmãs. Mesmo quando não concordamos muito em alguma coisa.

— Sabia que arrumamos mais convites para festas só porque somos suas irmãs, meu querido atleta? — A Yohana exibiu vários envelopes, alguns com letras douradas e outras prateadas.

— Como assim?

— São garotas do seu fã-clube. Elas pensam que, conquistando a gente, vão estar a um passo de conquistar você. — A Yasmin fez uma expressão engraçada.

— E por acaso essas garotas sabem que eu tenho namorada?

— Claro que sabem! — A Yohana revirou os olhos. — Mas não estão nem aí. E sempre tem um convite extra. Para que a gente te leve junto.

— E, mesmo achando que as garotas só querem tirar proveito da amizade de vocês, vão às festas assim mesmo?

— É lógico! São as mais bombadas. E vamos perder as oportunidades? Não, né, Yasmin?

— De jeito nenhum, Yohana.

— E esse terceiro convite... Só agora fiquei sabendo disso. — Cruzei os braços para parecer durão, mas na verdade estava achando aquela história engraçada. — Vocês nunca me chamaram. E, quando aparecem lá sem mim, o que dizem?

— Que você estava treinando para um jogo muito importante. — A Yasmin riu.

— Maninhas, parem com isso. Se eu puder ir com a Júlia, tudo bem. Mas dispensar a minha namorada, isso eu não vou fazer mesmo — falei, fazendo pose para o espelho. — O que vocês estão falando é surreal. Eu nem sou tão bonito assim...

— Você está mais bonito e sabe disso. Mas, na verdade, não é questão de beleza, Zeca. Você é do time, é popular no colégio.

— Só por isso?

— Só por isso — elas responderam em coro, para variar.

Acredito que, na pele de qualquer um dos garotos, isso ia ser motivo de orgulho. Afinal de contas, um bando de mulher ao redor é o sonho de qualquer um. Não vou negar que não notei o assédio. Mas eu não troco a Júlia por nenhuma delas. Os caras até ficam no meu pé, me chamando de bobão, dizendo que tenho que ter a Júlia como namorada, mas que não posso dispensar as gatas que aparecem. "O que é que tem? Uma ficadinha sem compromisso."

Mas não quero fazer isso, e eles precisam me respeitar. Eu gosto da Ju, e, se tem uma coisa que não pretendo fazer, é trair minha namorada.

E, por falar em Júlia, ela apareceu com uma novidade que pôs à prova meu humor, que eu podia jurar que estava sob controle.

— Zequinha, sabe o Bernardo? Aquele da fazenda vizinha dos meus avós?

— Bernardo? — fingi que não lembrava. — Acho que sim, o que tem ele?

— Então... Ele vem passar o feriadão em casa, não é legal?

Legal? Ela só podia estar brincando comigo. Como eu poderia achar legal um cara ficar hospedado na casa da minha namorada por três dias? Ainda mais o tal que ficou com ela durante os longos meses de férias e que a via de biquíni na piscina. A parte do biquíni realmente me tirava do sério.

— E ele vem sozinho?

— Ãhã. Vem sozinho de Belo Horizonte. Já estou traçando um roteiro pra gente fazer com ele. Uns passeios bem legais pelos principais pontos turísticos da cidade.

— A gente? — engasguei — Nós dois?

— Isso, meu amor, a gente! Você vai gostar dele. Olha, não fica com ciúmes, ele é só meu amigo. E preciso retribuir um pouco o que ele fez por mim nas férias. O que são três dias, comparados a quase três meses? Praticamente nada. Eu devo isso a ele.

— Ciúmes? Eu? Não, você está enganada! — tentei disfarçar.

— Ainda bem! — Ela me abraçou e me deu um beijo. — Porque não há motivo nenhum para você ficar com ciúmes.

Ninguém merece! E ainda vou ter que bancar o guia turístico. Não tive muito como argumentar. Não dava para dizer que eu não queria o cara na casa dela. Porque isso faria de mim um namorado mandão. O que me deixou chateado foi que ela combinou tudo com ele sem falar comigo, já veio com tudo decidido. Mas eu não estava a fim de brigar em plena segunda-feira...

Na quarta-feira, o treinador veio com uma notícia. Pelo visto, aquela seria a semana das novidades. Ele reuniu o time na quadra logo após o treino.

— Pessoal, sei que está um pouco em cima da hora, mas apareceu um amistoso no sábado. Trata-se de uma campanha para ajudar uma instituição de caridade, e eu acho uma boa oportunidade para participarmos. Além de ajudarmos a instituição, será a nossa chance de jogar contra um dos colégios que ainda não enfrentamos no campeonato de outono. Dessa forma, vamos poder avaliar nossos pontos fracos e fortes. Quem pode participar?

Alguns poucos garotos disseram que não poderiam jogar, pois já estavam com viagem marcada. Mas o time não ficaria totalmente desfalcado. Eu confirmei presença. Imagine se eu digo que não vou poder participar do jogo porque tenho que bancar o guia turístico do amiguinho da minha namorada? De jeito nenhum.

Na sexta logo de manhã, o mineirinho chegou. Todo simpático, cheio de paparicos. Trouxe presentes para a Júlia e para os pais dela. Queijos, doce de leite e outras guloseimas. Ela contou que eu era do time de basquete do colégio e ele foi logo puxando papo, dizendo que era um dos seus esportes favoritos.

— Ele vai ter um amistoso no sábado, Bernardo.

— Ora, vamos, claro! Ficaremos na torcida. Vai ser ótimo — ele falou, sorridente.

— Meninos, venham comer! — a mãe da Júlia chamou para a mesa. Ela serviu pães e biscoitos com os queijos e o doce de leite que o Bernardo trouxera.

Sabe quando você está a fim de implicar com alguém? Eu já tinha enfiado na cabeça que não podia gostar do cara que passou as férias inteirinhas com a minha namorada. Tudo bem que a Júlia tinha dito que o afastamento fora ideia dela. Mas de alguma forma eu culpava o cara, como se ele tivesse roubado a Júlia de mim naqueles três meses.

Quando me sentei à mesa e vi aquele bando de coisas gostosas, minha barriga começou a querer me trair. Parecia que estava rolando uma discussão maluca entre o cérebro e o estômago. *Hum, isso deve estar bom pra caramba! Não coma nada, não caia nessa cilada. Mostre para ele quem manda no pedaço.* Comecei a provar as coisas. Eu queria muito que estivesse ruim, sabe? Mas estava uma delícia. E então o cérebro perdeu a briga para o estômago. Nossa! Era tudo muito gostoso. Tanto que até repeti. Notei que ele me olhou satisfeito. Ele puxava assunto e não mentiu quando disse que curtia basquete. Falou de várias coisas que estavam acontecendo no campeonato brasileiro. Senti um leve remorso. O cara era legal. Uma parte de mim odiou minha conclusão. Ele está no segundo ano do ensino médio e quer ser pediatra. Alguém que quer trabalhar com crianças só pode ser legal.

Mas, quando os garotos do time souberam do hóspede da Júlia, pegaram no meu pé o tempo todo. Tive que aturar um monte de piadinhas, os caras chamando o Bernardo de "namoradinho da minha namorada".

— Parabéns, Zeca! — O Cláudio, que é de longe o que mais gosta de me zoar, me deu um tapinha nas costas.

— Parabéns por quê, posso saber?

— Você não é egoísta. Veja bem, até a namorada você compartilha.

— Para de ser palhaço, Cláudio!

E foi assim toda a manhã de sábado. Treinos e piadinhas sem graça sobre o Bernardo. O ônibus do colégio, com o time e a comissão técnica, seguiria depois para o local do jogo. Eu encontraria a Júlia e o Bernardo no ginásio. Ninguém da minha família ia, estava todo mundo ocupado. Mas eu não liguei, afinal era só um amistoso. Apesar de não ser um jogo tão importante assim, toda aquela história tinha mexido comigo. Não fui muito bem no treino. Errei algumas cestas e o treinador chamou minha atenção.

— O que está acontecendo, Zeca? Você parece desatento.

— É a dor do chifre, professor — o pessoal não perdeu a oportunidade de me zoar.

— Hein? — Ele fez cara de espanto.

— Não é nada disso, não. Desculpa. Vou me esforçar mais.

No ônibus, sentei no fundão, longe de todo mundo, para tentar me acalmar. Foi a minha sorte, pois logo em seguida chegou mensagem. Se os caras vissem aquilo, seria mais um motivo para pegarem no meu pé.

Amor, já cheguei com o Bernardo no ginásio.
Estamos na arquibancada, perto da saída de emergência.
Boa sorte!
Bjos, Ju

Assim que entramos na quadra, procurei o lugar que a Ju tinha indicado na mensagem. Cada um estava com um saco grande de pipocas e um refrigerante. Eles conversavam e riam tanto que nem perceberam que a gente já tinha chegado. O treinador reuniu o time em um canto da quadra e deu as últimas instruções. Aproveitamos para fazer o aquecimento. Por mais que eu tentasse me concentrar, acabava olhando o tempo todo na direção deles. Faltando cerca de dois minutos para o início do jogo, percebi que o celular do Bernardo tocou. Ele deu uma olhada no visor e mostrou para a Ju, que ficou toda elétrica e o abraçou. Ele falou um pouco, desligando em seguida. O Bernardo disse algo para a Júlia que fez com que ela ficasse toda feliz e o abraçasse. *De novo.* O abraço dessa vez foi longo e apertado, seguido de um beijo no rosto. Imediatamente fiquei vermelho de raiva. Como eles podiam se comportar desse jeito na frente de todo mundo? Fiquei cego de ciúmes. E surdo também, pois todos foram chamados para o início do jogo e o Cláudio precisou me puxar pela camiseta, porque eu não ouvi nada.

Joguei muito mal os dois primeiros tempos. Errei várias passadas de bola. E o pior de tudo foi errar as cestas. No intervalo, o treinador disse que ia me tirar da quadra, mas eu implorei que ele me deixasse no jogo. Foi com muito custo que consegui convencê-lo.

Peguei uma garrafa de água e bebi metade num só gole. Olhei para onde a Júlia estava e a vi descendo apressada. Fez um sinal para que eu fosse falar com ela perto da grade que separava a quadra da arquibancada.

— Zequinha, o que houve? Você está bem? Está passando mal? — Ela me olhava assustada.

— Não, eu tô bem — falei de mau humor. — Você pode me explicar o que foi aquela demonstração toda de carinho? — Não consegui me segurar.

— Do que você está falando?

— Daquele abraço gigante que vocês deram. Aliás, dois, né?

— Ah! Aquilo? — Ela deu uma risada. — A garota por quem o Bernardo é apaixonado telefonou dizendo que estava com saudades e que queria conversar quando ele voltasse para Belo Horizonte. Ele gosta dela faz tempo, só falou dela durante as férias. Acho que eles finalmente vão se acertar. O abraço foi para comemorar. Estou muito feliz por ele! E você está certo, foi um abraço gigante. Um abraço de amigo, Zeca.

Bem... fiquei me sentindo um perfeito idiota. Deixei meu desempenho no jogo despencar por causa do ciúme e caí na provocação dos garotos do time. Se eu tinha me dado mal no jogo, a culpa era toda minha.

— Zeca, você não confia em mim? — O olhar dela era triste, de decepção.

— Claro que eu confio, Ju. Por favor, me desculpa.

— Ele é um amigo muito querido.

— Esqueceu que a gente também era amigo?

— E não somos mais? Trocamos uma condição por outra? — Ela cruzou os braços e parecia decepcionada. — Somos namorados, sim. E além de tudo você continua sendo meu melhor amigo. Você acha que eu faria algo que te decepcionasse bem debaixo do seu nariz? A gente se conhece há tanto tempo e você ainda não percebeu isso?

— Ju, por favor, me desculpa. Eu sei. Tô sendo um idiota.

— Eu não sei o que pensar. — Ela passou as mãos pelos cabelos. — Não sei se fico com raiva ou se fico me achando, porque é a primeira vez que você tem um ataque de ciúmes. — Ela forçou um sorriso. — O intervalo já vai terminar. Vou voltar para o meu lugar. E pare de pensar bobagens.

— Não só de pensar bobagens, mas de fazer também. O treinador está muito bravo comigo.

— Então volta lá e arrasa! Mostra pra ele como você é bom!

Ela mandou um beijo no ar e se virou, voltando para a arquibancada. Mas de repente parou e voltou. Me chamou de volta, se debruçou na grade, me puxou pela camiseta e me deu um beijo.

— Eu te amo! Você é um bobo e ciumento de dar raiva, mas que eu amo muito — ela disse, me olhando bem no fundo dos olhos, para depois dar aquele sorriso pelo qual sou completamente fascinado.

Ela nunca tinha dito que me amava. Fiquei sem fala e sem reação, encostado na grade, olhando enquanto ela voltava para a arquibancada. Parecia que uma descarga elétrica tinha tomado conta do meu corpo inteiro.

Quando finalmente o terceiro tempo começou, eu era outro em quadra. Fiz três cestas e depois mais duas no fim do jogo. O nosso time ganhou! A diferença no placar não foi grande, mas eu estava bem feliz. O treinador veio me cumprimentar.

— Zeca, não sei o que te deu, mas, seja lá o que tenha sido, faça isso sempre, combinado?

— Obrigado! Vou tentar não decepcioná-lo mais. Eu prometo.

No domingo, passeamos com o Bernardo, depois o levamos ao aeroporto. O feriadão tinha sido bastante agitado. Na semana seguinte, começariam as provas e eu precisava rever a matéria de matemática. Apesar do cansaço, resolvi dar uma passada de olhos na matéria no domingo à noite, para refrescar a memória. Ao pegar meu material, uma folha caiu embaixo da cama.

Quando a recuperei, vi do que se tratava. Era a lista de "coisas que preciso entender", que eu tinha feito no primeiro dia de aula. Olhei espantado para aquilo. Tanta coisa tinha mudado desde aquele dia! E não fazia tanto tempo assim.

Eu me lembrei do Adolfo. Não sei dizer por quê, mas algo me fez pegar o telefone e ligar para ele. Humm, na verdade acho que sei. Eu tive um sentimento de raiva parecido naquele fim de semana. Tinha ficado possesso de ciúmes. Com o Adolfo, eu me deixei dominar pela provocação e acabamos partindo para a agressão. Ele já tinha sido um amigo. Como tudo foi acabar daquele jeito?

Ele ficou bem surpreso quando atendeu. Senti que ele realmente não esperava. Eu já estava preparado para ouvir um monte de desaforos. Era o risco que eu corria quando decidi telefonar. Mas não foi o que aconteceu.

— Poxa, cara! Eu tô meio sem acreditar que você ligou. É o primeiro que me liga da turma, desde a transferência.

— Sério? — Eu estava mesmo surpreso. — E o Daniel, o Tadeu e o Evandro?

— Viraram fumaça. Até deixei mensagem pra eles assim que fui transferido, mas não me responderam. Deixei pra lá.

— Como você está na escola nova?

— Lá o ritmo está bem mais puxado, ainda mais com a minha tia me vigiando o tempo todo. Mas já fiz alguns amigos. E você? E o time?

— Estou gostando bastante. Você não entrou para o time da nova escola?

— Não. Vou tentar no ano que vem. Tô sempre treinando no clube, pra não perder o ritmo. Já que ligou, cara, olha, preciso falar... Quero pedir desculpas. Não vou mentir que virei santo do dia pra noite, mas estou melhorando.

— E eu acabei acertando seu nariz, foi mal.

— Mas não faz isso com mais ninguém, porque doeu pra caramba! — Ele riu.

— E o cigarro?

— Ainda não larguei, mas tô diminuindo. Um dia eu paro.

— Espero que esse dia chegue logo. Tô falando sério.

— Eu sei que tá, Zeca. Bom, agora eu preciso ir. Valeu por ter ligado.

Não foi o mais longo dos telefonemas, muito menos de grandes amigos. Mas me senti um tanto aliviado. Ele até mudou um pouco o jeito de falar. O tradicional "caraca, maluco" não apareceu. Eu não tinha a intenção de reatar a amizade, mas gostei de ter tido a iniciativa. Da próxima vez que a gente se vir pessoalmente, porque um dia isso fatalmente vai acontecer, o clima não vai ficar ruim. Assim espero.

Olhei novamente para aquela folha de fevereiro. Reli o que eu havia escrito, e algumas questões ainda me deixavam confuso. Ainda precisava entender um bocado de coisas. Só de brincadeira, peguei o lápis e resolvi escrever mais alguns itens na lista.

Por que crescer é tão complicado?
Por que a gente tem que se esforçar tanto o tempo todo?
Por que nos sentimos tão inseguros às vezes?
E por que eu não disse para a Júlia que eu também m...

Larguei o lápis. Subi dois andares e toquei a campainha. A cena que eu encontrei foi hilária. A Júlia tinha feito brigadeiro. Estava raspando o restinho da panela com uma colher e tinha o queixo sujo de chocolate.

— O que foi, Zequinha? Por que você voltou?

— Por que eu voltei? Eu me esqueci de uma coisa.

— Esqueceu? O quê?

— Eu me esqueci de dizer que eu também te amo... muito.

heguei do treino morto de cansaço. Doido por um sanduíche gigantesco e um bom banho. Quando passei pelo corredor, tive a forte impressão de que tinha entrado no apartamento errado. Olhei tudo em volta. Não, todos os móveis estavam certos. Mas logo entendi por que tinha estranhado. Pela primeira vez na vida, vi a Yasmin e a Yohana brigando. E brigando feio! A Yasmin saiu do quarto bufando e soltou palavras que não consegui entender, depois bateu a porta com toda a força. Até o coitado do lustre da sala sentiu e deu uma balançada.

Entrei no quarto delas e encontrei a Yohana emburrada. Dava medo, juro. Mesmo assim, respirei fundo para ver se a coragem entrava pelo nariz e me sentei na cama da Yasmin, que é bem em frente à dela.

— A Terceira Guerra Mundial já começou? Não vi nos noticiários.

— Não enche, Zeca! — Ela fez uma cara muito brava e jogou um travesseiro em mim.

— Yohana, eu nunca vi vocês brigando! Vocês vivem de fofoca o dia inteiro! Alguma coisa muito séria aconteceu e eu preciso saber.

— Precisa saber por quê? Vai resolver meu problema, por acaso?

— Se você falar qual é, quem sabe?

Ela fez silêncio. Então mexeu no cabelo e respirou fundo. Depois fez cara de choro, chutou o tênis, amassou o travesseiro. E eu esperando.

— Vai falar ou não?!

— A Yasmin é uma traidora! Pronto, falei! Satisfeito?

— Traidora? Como assim? — Eu estava realmente espantado.

— Eu meio que estava gostando de um garoto da minha classe, o Cauã. E sabe o que ela veio me contar? Que ele a pediu em namoro! Pode uma coisa dessas?

— Mas a Yasmin sabia disso? Que você gostava do tal Cauã?

— Não.

— E o garoto? Sabe que você gosta dele?

— Também não — ela respondeu, olhando para o chão.

— Então ela não é traidora.

— Vai defender? — A Yohana levantou o rosto para mim, com uma cara muito feia.

— Calma, Yohana! Você mesma acabou de dizer que ela não sabia de nada. O que eu acho muito esquisito, pois vocês contam tudo uma pra outra. Se esse Cauã preferiu namorar a Yasmin, ela não tem culpa.

— Mas eu não entendo, Zeca! — E aí aconteceu o que eu mais temia: ela começou a chorar. Eu fico meio sem ação quando uma mulher chora na minha frente. — Nós somos iguais! O mesmo corte de cabelo, o mesmo tipo de corpo, usamos sempre coisas parecidas. O que fez com que ele escolhesse justamente a Yasmin? Por que ele não me escolheu?

Sempre reclamei que as minhas irmãs eram muito tagarelas. Mas sabe quando você está acostumado com uma situação e, de repente, ela muda completamente? Briga e choro eram novidade para mim. Fiquei com pena dela... Apesar de estar me sentindo meio desconfortável com aquela situação toda, tentei ajudar. Afinal de contas, acho que é isso que se espera do irmão mais velho.

— Maninha, entenda que vocês são gêmeas, e não uma única pessoa. — Troquei de cama e me sentei ao lado dela, puxando-a para um abraço e tentando fazê-la se acalmar. — Eu sabia que um dia isso podia acontecer! Enquanto vocês eram somente fãs do Mário Antônio, aquele galãzinho metido a cantor, indo para shows e visitando o camarim, tudo bem. Afinal, o cara é artista. Quando os garotos normais começassem a ter mais importância, isso poderia dar problemas.

— Você sempre pensou assim e nunca falou nada pra gente? — ela perguntou, magoada. — Nossa, quanta maturidade! Tô chocada.

— Hahaha! Maturidade?! Quem me dera. Conversei algumas vezes com a mamãe sobre isso. Só de uns dois anos pra cá é que comecei a pensar nessas coisas. Esse ano principalmente, quando vocês ficaram obcecadas por maquiagem e passaram a suspirar pelos garotos. Vocês duas são muito novas para namorar! Não pensei que isso aconteceria tão rápido.

— Apenas dois anos mais novas que você, Zeca! Por que você pode e a gente não? Nada a ver isso.

— Vocês ainda são minhas irmãzinhas caçulas. Deixa eu ser um pouquinho egoísta, por favor?! — falei em tom de brincadeira para fazê-la rir, mas só consegui um sorriso torto.

— Estou com muita raiva. Mas você tem razão. O Cauã não sabia que eu gostava dele, muito menos a Yasmin. Eu não contei nada pra ela antes porque era a primeira vez que me interessava por um garoto normal, como você mesmo disse. Acho que a maior raiva disso tudo é que o Dia dos Namorados está chegando e vou estar sozinha. Não acho justo.

Dia dos Namorados? Caramba, seria o meu primeiro Dia dos Namorados com a Júlia! *E agora, o que eu faço? Tenho que comprar um presente. Qual? Vou ter que sair com ela, pagar jantar, essas coisas todas?*

— Zeca? Você tá me ouvindo? — A Yohana me deu um beliscão.

— Ai, garota! O que foi? — Massageei o braço.

— Estou aqui falando e você não me dá atenção.

— É que você falou do Dia dos Namorados, e eu lembrei que não pensei em nada para a Júlia.

— Hummm... Ela pode estar esperando algo especial.

— Será? Ela comentou alguma coisa?

— Não. Mas garotas sempre querem algo inesquecível no Dia dos Namorados. E com certeza a Júlia não é diferente.

— Vou ver o que eu faço. Preciso de um banho. Posso ir? Você vai ficar bem?

— Pode ir. Valeu pela força... — Ela me abraçou. — Vai ficar tudo bem.

Com toda aquela confusão, só quando saí do banho é que lembrei que ainda não tinha comido nada. Entrei na cozinha e me deparei com a minha mãe fofocando ao telefone.

— E não é, Carmem? Ah, mas esses meninos crescem muito rápido! Até outro dia, eu estava trocando as fraldas deles. E agora o meu Zeca vai ter o primeiro Dia dos Namorados. Estou ficando velha!

Cara, que vergonha! Mãe tem muito disso, né? Adora fofocar sobre a nossa vida com as amigas. O Cláudio me contou que a mãe dele faz a mesma coisa. Até a minha mãe lembrou que seria a primeira vez que eu ia comemorar o Dia dos Namorados com a Júlia, e eu mesmo nem sabia o que fazer.

Quando ela finalmente desligou, reclamei.

— Poxa, mãe! Precisava falar da minha vida com as amigas?

— Ah, Zeca! Para de besteira. A Carmem viu você nascer e até deu papinha na sua boca. O que é que tem ela saber?

— O que tem é que a vida é minha, o namoro é meu e não quero meu nome na rodinha de fofocas das suas amigas.

— Ih, o que foi, hein, sr. José Carlos de Almeida Júnior? Nem venha todo nervosinho pra cima de mim, não. Pensei que o azedume do início do ano já tinha acabado.

— Não é isso! — Sentei e peguei um pedaço de pão. — Eu não sei o que fazer. Nunca comemorei o Dia dos Namorados. Tô meio ansioso.

— Fala com o seu pai. E aproveita pra pedir para ele te patrocinar, porque eu estou durinha da silva. Ele pode dar umas dicas melhores do que eu.

Conversamos mais um pouco, mas ela precisou voltar para o salão de beleza. Terminei de comer e, no caminho para o quarto, me deparei com mais uma cena dramática: minhas irmãs abraçadas e chorando. Nem percebi que a Yasmin já tinha voltado.

— Posso falar uma coisa? — Parei na porta. — Preciso dizer que estou feliz vendo vocês duas agarradas de novo.

— Fizemos as pazes, Zeca! — elas responderam em coro, para variar.

— Que alívio! — Entrei e abracei as duas.

— Eu perdoei a Yasmin. Na verdade, não tinha o que perdoar, pois ela não sabia de nada.

— Estou tão feliz, Yohana! — A Yasmin lhe deu um beijo no rosto. — Não posso ficar brigada com você.

— Então a Yasmin vai poder namorar o Cauã? Você não vai ficar chateada? — perguntei.

— Eu já tinha aceitado o namoro, mas a Yasmin disse que recusou... — A Yohana deu de ombros.

— E todo aquele dramalhão deu nisso? — Eu estava confuso. — Juro que não entendi.

— A gente conversou e eu cheguei à conclusão de que ainda não quero namorar. — A Yasmin estava segura da decisão, para meu espanto. — Claro que gostei de ser pedida em namoro, o Cauã é legal. Tem garotas da minha idade que já namoram, mas eu percebi que ainda não tô a fim. Quem sabe no ano que vem?

— Vocês duas ainda vão me enlouquecer, sério. — Elas riram. — Você também resolveu esperar um pouco mais, Yohana?

— Na verdade eu queria um namorado porque quase todas as garotas que eu conheço começaram a namorar. Eu estava com inveja e não queria ser diferente. Mas decidimos nos manter fiéis ao Mário Antônio, por enquanto.

— E toda aquela briga, porta batendo, choro e xingamentos?

— Nenhum garoto vale uma briga com a Yohana. — A Yasmin a abraçou.

— Como irmão mais velho e ciumento, concordo com a decisão de vocês. — Fingi dar um cascudo em cada uma.

Deixei aquelas duas birutas e fui para o meu quarto. Liguei para o meu pai marcando um encontro para o dia seguinte.

Meu pai resolveu me buscar na saída do colégio e nós fomos almoçar juntos. Adoro quando ele faz isso! A vida dele é muito corrida por causa do trabalho, e a gente se encontrar assim durante o dia é coisa rara.

— Então você não sabe como passar o primeiro Dia dos Namorados com a Júlia, hein? — Ele deu uma risadinha enquanto devolvia o cardápio para o garçom.

— Pois é! Você lembra como foi o seu, pai?

— Claro que sim. Foi inesquecível!

— Ah, é? Foi bom assim?

— Bom? Foi horrível! Por isso foi inesquecível. — Ele caiu na gargalhada.

— Assim você vai me deixar com medo, pai. Essa não! O que aconteceu de tão ruim?

— Você sabe como são as mulheres. Acham que esse dia tem que ser romântico, flores, luz de velas, ursinhos e todas aquelas coisas de comerciais de tevê. E eu caí nessa armadilha. Estava namorando a garota havia uns três meses. Era a menina mais bonita da rua, todos os garotos estavam com inveja de mim. Então eu não podia fazer feio, não é?

— Não mesmo.

— Pois bem. Eu comprei flores e ela não parou de espirrar. Ela era alérgica e eu não sabia. Cismei de levá-la a um restaurante, que estava lotado. Tinha que fazer reserva e, claro, de novo eu não sabia. Então fomos a uma lanchonete. Só tinha mesa ao ar livre, e meia hora depois, adivinha? Começou a chover!

— Putz! Que azar! — Eu imaginava as cenas e ria.

— Eu quis impressionar a garota de todas as maneiras. Gastei uma grana que não tinha e deu tudo errado. Eu a conhecia havia pouco tempo e, querendo bancar o sabichão, fiz tudo da minha cabeça e só consegui dar uma mancada atrás da outra. Você fez certo em perguntar. Não é garantia de que vai dar tudo certo, mas pelo menos você foi mais esperto do que eu.

— A minha mãe me incentivou a falar com você...

— A sua mãe? — Ele fez uma expressão engraçada e ficou olhando para o pequeno arranjo de flores no centro da mesa. — Interessante.

Ele ficou um tempão olhando para aquele vasinho de plantas de plástico, como se fosse uma obra de arte.

— Pai?! Dá pra voltar pra Terra? — Dei um cutucão nele. — O que eu faço?

— Ah, claro. O Dia dos Namorados. Você e a Júlia se conhecem faz tempo... Sabe de uma coisa? — Ele colocou a mão no meu ombro. — Acho que você deveria conversar com ela, decidirem juntos o que querem fazer. Além do mais, vocês são adolescentes, não vão poder ficar até muito tarde na rua, e tudo é muito caro nesse dia. Quando você trabalhar e ganhar seu próprio dinheiro, vai poder inventar algo mais mirabolante, está bem? O importante é que vocês se gostam e estar juntos será a melhor parte disso tudo. Vai por mim.

— Acho que me preocupei tanto à toa, né?

— Sim. Mas agora relaxa que vai dar tudo certo, você vai ver. E eu vou te dar uma graninha extra. Mas não se anime muito, porque não vai dar pra fugir pra Nova York. — Riu.

Ficamos conversando por mais meia hora. Antes de pagar a conta, ele pediu um cafezinho. Café tem um cheiro bom! Mas o estranho é que eu não consigo beber café, só gosto do cheiro. Com leite ainda vai. Adulto tem essa coisa de tomar café depois das refeições. Acho que vou esperar para ter esse hábito. Não estou com tanta pressa assim de crescer... Ser adolescente já dá bastante trabalho!

Cheguei em casa com outro astral. Adoro ter essas conversas com meu pai. Meu humor estava tão bom que nem me abalei pelo fato de ter prova no dia seguinte. E nem com as reclamações da minha mãe. Aquele era o dia de fazer inspeção fora de hora em casa. Ela adora voltar do salão sem avisar, para ver se estamos derrubando a casa ou algo assim.

— Olhem, aqui, Zeca, Yohana e Yasmin! Não sou empregada de vocês não, viu? Que bagunça é essa? É coisa espalhada por tudo que é canto desse apartamento! Tênis para um lado, meia suja para o outro. E copo usado? Custa colocar na pia? Ou melhor, custa lavar?

Saí de fininho, subi dois andares e bati na porta da Júlia.

— Oi, meu amor! Que surpresa! — Ela ficou na ponta dos pés e me deu um beijo.

— Oi, Ju! Posso estudar para a prova aqui com você? Minha mãe está lá, dando ordens até para as paredes.

— A tia Marisa tá brava? — Ela riu. — Entra! Eu ia começar a estudar agora mesmo, meu material está todo lá no quarto.

Antes de começarmos a esquentar a cabeça com a matéria, resolvi tocar no assunto que estava me atormentando.

— Ju, esse vai ser o nosso primeiro Dia dos Namorados.

— É verdade, Zequinha! Dá pra acreditar nisso? — Ela suspirou.

— Pois é. A gente se conhece há tanto tempo, e confesso que de repente fiquei sem saber o que fazer nesse dia. Queria bolar algo bem legal, uma surpresa talvez, mas achei melhor decidirmos juntos.

— Eu também estava pensando nisso. — Ela fez um carinho no meu braço. — Mas vamos ser realistas. Eu vivo de mesada, você também. E se passar das dez horas da noite minha mãe vai falar um bocado nos meus ouvidos! O importante é que a gente se gosta, certo? Vamos fazer alguma coisa simples, o que eu mais quero é ficar com você.

— Sério?! Você não quer aquelas cenas românticas de novela, com flores, velas aromáticas e violinos?

— Não vou negar que acho fofo. Vamos ao cinema e depois comemos aquela pizza que a gente adora. Tem um tempão que não vamos lá. O que acha? — ela sugeriu.

— Olha, essa simplicidade toda está esquisita. Por que eu sinto que você está escondendo alguma coisa?

— E-Eu?! — ela gaguejou. — Não estou escondendo nada.

— Eu te conheço há três anos, Ju! Quando você coça o nariz, do jeito que acabou de fazer, é porque está escondendo alguma coisa. Fala.

— Eu cocei o nariz? — Ela insistia em se fazer de desentendida.

Fiquei parado a encarando, sem falar nada. Até que ela resolveu confessar.

— Tudo bem. Eu queria andar de roda-gigante.

— Roda-gigante? Mas você morre de medo de roda-gigante.

— Justamente por isso... — Ela ficou rabiscando o caderno, sem olhar para mim. — Já que o Dia dos Namorados é uma data especial, pensei se eu não poderia perder esse medo bobo. E, estando do seu lado, acho que seria ainda melhor.

— Ju, olha pra mim... — Levantei o queixo dela para que me encarasse. — Por que você não me disse antes? Por que deu ideia de a gente fazer outra coisa?

— Eu fiquei com receio que você achasse infantil demais.

— Eu sei que você tem medo, mas nunca me disse o motivo. Medo de trem fantasma, eu até entendo. Ou de montanha-russa. Mas de roda-gigante?

Ela ficou calada, me encarando.

— Adoro ficar olhando para essa sua carinha linda, mas infelizmente não sei ler pensamentos — falei.

— É que é meio ridículo. Tô com vergonha.

— Fala logo, Ju! — Tive que rir.

— Ah, tá bom! — Ela respirou fundo. — Eu tinha uns seis anos e fui a um parque de diversões com a minha madrinha. Ela comprou um monte de coisas gostosas pra mim. Churros, algodão-doce, cachorro-quente... Depois fomos na roda-gigante. Eu fiquei enjoada e vomitei em um monte de gente lá de cima. Foi horrível. Nunca mais tive coragem.

— Você não tem medo de roda-gigante. Tem é medo de ficar enjoada! — Caí na gargalhada.

— Eu falei que era ridículo.

— Mas você era uma criança, poxa!

— Já levou vômito de criança em roda-gigante?

— Não.

— É nojento. Imagina você sendo a criança que promove a nojeira.

— Ju, é só você não se entupir de porcarias antes. — Tentei parar de rir e dar uma força para ela. — Vai dar tudo certo. Você não vai ficar enjoada e não vai causar um estrago no parque.

— Jura?!

— Achei a ideia genial. Romântico, divertido e barato. Do tamanho da nossa mesada. Tenho ou não tenho a melhor das namoradas?

— Mas é claro que tem... — Ela fez aquela cara de metida que eu adoro e me deu um beijo. — Obrigada por me entender. Ter uma namorada mais corajosa é uma prova de amor. Acredite.

— Linda e corajosa. Agora me faz um favor? Me ajuda a perder o medo do teorema de Pitágoras?

— Hahaha! Como é lindo e bobo esse meu namorado. Júlia Corajosa em ação. Lápis, apontar!

— Errr... Não seria "Supergêmeos, ativar"? — provoquei.

— Quer aprender o teorema ou não? É pegar ou largar.

— Não está mais aqui quem falou. — Tive que rir. — Lápis, apontar!

u me dei bem na prova de matemática. Ufa! Uma preocupação a menos.

O que estava me deixando pilhado mesmo era a semifinal do campeonato de basquete. O intercolegial, o campeonato mais importante do ano, é realizado em outubro. Em junho, temos o campeonato de outono, que geralmente é uma prévia do que acontece no intercolegial, já que os colégios mais fortes se inscrevem. A gente estava indo muito bem nesse campeonato. No dia 10 seria a final, e estávamos a apenas dois jogos da medalha de ouro. Dois jogos!

O CEI jogaria com o vencedor da partida que ocorreu justamente no horário da prova de matemática. Então, quando fomos liberados, corremos até a quadra para falar com o treinador.

— Professor Carlos! — O Silas era o mais curioso de todos. — Já sabe quem venceu o jogo?

— Sim. Foi o Colégio Amaral Peixoto, o CAP.

— Eu já imaginava que isso fosse acontecer — o Cláudio falou e, por sua voz, não parecia nada satisfeito. — São os mais fortes. A gente tinha que ter assistido a esse jogo!

— A gente pediu para desmarcar a prova, lembra? Ou autorização para fazer segunda chamada, mas a diretora não quis saber — relembrei. — Será que pelo menos alguém filmou?

— Calma, pessoal — foi a vez de o treinador falar. — O nosso time está entrosado, treinamos bastante. Precisamos confiar.

O treinador acalmou nossos ânimos. Eu estava tranquilo, mas o Silas estava preocupado.

— Você está mais nervoso que o normal, brother. O que é que tá pegando? — o Cláudio perguntou.

— Você está lembrado quem estuda lá? — O Silas retorceu as mãos em sinal de nervosismo.

— Sinceramente, não. — O Cláudio estava confuso.

— O Adolfo!

— E o que tem isso? — falei. — Um tempo atrás eu liguei pra ele, depois da nossa briga, e parecia tudo bem. Eu comentei com vocês. Ele me contou que não estava jogando, que ia esperar até o ano que vem.

— Isso é mentira. — O Silas estava bem bravo. — Ele está jogando, sim.

— Sério? — Comecei a me preocupar também.

— O principal jogador do time do CAP se machucou e o Adolfo fez o teste e passou. Fiquei sabendo que ele está treinando com o time.

— Então ele mentiu pra mim.

— Mentiu, Zeca. Com a maior cara lavada do mundo. — O Silas estava revoltado. — E por que ele mentiu sobre o time? Porque certamente está querendo aprontar alguma. Ele joga bem, a gente sabe. E pode fazer a maior diferença no time do CAP. Só não entrou na nossa equipe porque vacilou no dia dos testes. Ele já arrumou briga com o Zeca, quem garante que não vai aprontar de novo? Por isso eu fiquei meio bolado.

— Sabe de uma coisa? Não vou esquentar a cabeça com ele agora. O Adolfo não merece que eu perca meu tempo com ele — decidi.

— Se você pensa assim... Mas não custa nada ficarmos de olho no cara. — O Cláudio, que até então não parecia preocupado, meio que fechou a cara.

Depois de saber que o Adolfo jogaria no campeonato pelo time do CAP, juro que tive vontade de ligar para ele e tomar satisfações. Ele tinha mentido descaradamente para mim, dizendo que só jogaria no ano seguinte. Cheguei a ficar com o número dele na tela do meu celular, mas desisti duas vezes de completar a ligação. Resolvi pagar para ver.

Finalmente disputaríamos o lugar na final. A galera estava toda reunida para torcer. Até minha mãe, que quase nunca ia, conseguiu uma folga no trabalho. Quando chegamos ao ginásio, ficamos concentrados, recebendo as últimas instruções do treinador. Uns vinte minutos depois, o time do CAP chegou. Então pude, de uma vez por todas, acreditar no que o Silas tinha contado: o Adolfo realmente estava no time.

Tentei não ficar nervoso, mas era quase impossível. Como tinha dado sorte daquela vez no jogo amistoso, virou quase uma tradição: a Ju sempre vem até a grade, me dá um beijo e fala:

— Te amo, meu atleta! Vai lá e arrasa!

Faltando alguns minutos para o início do jogo, o Adolfo veio falar comigo:

— E aí, Zeca? Beleza?

— Beleza, Adolfo. Parece que você voltou a jogar mais cedo do que imaginava — falei em um tom bem sarcástico.

— Viu só que mundo doido? Um dos jogadores se acidentou e eu entrei para o time meio que sem querer. Quem diria que um dia jogaríamos em times adversários?

— É... O mundo é mesmo doido...

— E a Ju, hein? — ele falou, olhando na direção da arquibancada. — Gata como sempre.

E lá vinha ele se meter com a Júlia. Só que agora ela era minha namorada! Eu ia abrir a boca para responder, quando o treinador me chamou, interrompendo a conversa.

— Não quero papo-furado nem antes, nem durante, nem depois do jogo. Entendido? Concentração. Vamos lá!

— Entendido, treinador.

O jogo começou. O CAP liderou no início, mas logo começamos a fazer mais cestas.

Eu estava prestes a fazer um arremesso quando senti uma forte cotovelada no estômago. Caí no chão de tanta dor.

— Caraca, maluco! Olha só o que você fez!

Foram só alguns segundos. Mas tudo parecia em câmera lenta. Em um primeiro momento, pensei que a pancada tivesse vindo do Adolfo. Mas eu ainda estava no chão, me contorcendo de dor, quando pude ver que tinha sido outro jogador do CAP. Foi uma confusão tremenda. O Adolfo partiu para cima do colega de time, para repreendê-lo.

— Você joga sujo, cara. Não merece estar no time! — ele gritou para o João, nome que consegui ler na camisa.

Fiz um esforço e consegui me levantar.

— Zeca, você está bem? — O Cláudio veio ao meu encontro.

— Tá doendo, mas estou bem.

O jogo havia sido interrompido. Como a falta que o João fez foi grave, ele foi expulso da partida. Eu tinha direito a dois lances livres, mas o técnico estava preocupado, não sabia se eu estava em condições de arremessar.

— Tá tudo bem. Por favor, me deixa jogar — praticamente implorei.

Dei uma olhada no cronômetro: faltava um minuto para o término do segundo tempo. Quando os lances livres foram autorizados, marquei os dois pontos, e comemoramos muito. O jogo prosseguiu, até que o tempo terminou e foi dado o intervalo.

— Deixei você jogar porque faltava pouco tempo, mas você não vai mais entrar, Zeca — o treinador determinou. — Vai ficar no banco até o fim do jogo. Sua mãe veio falar comigo, eu a tranquilizei. Mas, assim que o jogo terminar, você vai embora com a sua família.

Não tive nem como argumentar. Olhei para a arquibancada e fiz sinal de que estava bem para a minha mãe, a Júlia e minhas irmãs. Minha mãe parecia apavorada, mas forcei um sorriso para mostrar que eu estava legal. Fui para o banco de reservas. Fiquei chateado por estar ali. Eu tinha treinado duro para o campeonato.

Minutos depois, o CAP estava na liderança novamente. O Adolfo estava jogando muito bem, marcou várias cestas. O Silas parecia muito bravo. Pedia todas as bolas e empatou o jogo praticamente sozinho. Mas seu esforço não ajudou a vencermos aquela semifinal. O CAP ganhou com uma diferença de dez pontos. Adeus, medalha de ouro. Fiquei arrasado. Treinei tanto, só para ficar assistindo a nossa derrota do banco. Agora disputaríamos o terceiro lugar. Cumprimentei meus colegas, troquei de roupa e encontrei minha família na saída lateral, que dava para o estacionamento.

— A minha vontade era arrancar você de lá na mesma hora e te levar para o hospital! — minha mãe falava rápido e gesticulava mais rápido ainda. — Vamos passar na clínica perto de casa.

— Não precisa, mãe! — Não gosto muito de médicos. — Essas contusões são normais em jogo, já aconteceu coisa pior comigo.

— Melhor você obedecer à mamãe, Zeca... — a Yasmin falou enquanto acariciava meu braço.

— Não custa nada dar uma olhada, né, Zequinha? — A Ju estava com cara de preocupada.

— Vocês estão exagerando... Mas tudo bem, vai — me dei por vencido.

Quando chegamos perto do carro, me dei conta de uma coincidência: minha mãe havia estacionado praticamente ao lado do carro da mãe do Adolfo. Ele deixou a mochila no banco do carona e se aproximou da gente.

— Parabéns pela vitória, Adolfo. Você jogou muito bem.

— Como você está? — Ele parecia mesmo preocupado.

— Estou bem — respondi secamente.

As minhas irmãs, uma de cada lado, seguraram minhas mãos. Talvez ainda estivessem impressionadas com a briga e instintivamente achassem que poderiam me proteger. A Ju e a minha mãe apenas olhavam.

— Eu só queria dizer que não concordei com a atitude do João. Achei merecida a expulsão. E, pelas broncas que o nosso técnico deu, acho difícil ele continuar no time.

— Eu vi que você reclamou com ele. Estava tudo muito confuso naquela hora, mas eu percebi.

— O Silas veio falar comigo, todo cheio de marra. Na boa? Quando você me ligou e perguntou se eu tinha entrado para o time, eu não menti. Não menti mesmo. Eu só fiz o teste dias depois e tive vontade de te ligar. Afinal de contas, você me ligou primeiro, meio que estendendo a bandeira branca da paz, mas não tive coragem. Eu aprontei muito, Zeca. Não estou me fazendo de santinho agora, nada disso. Mas reconheço as porcarias que fiz. E estou tentando melhorar.

— Isso vai ser bom pra você, Adolfo. Brigar, arrumar confusão não leva a nada.

— Você se lembra do meu avô? De como sou ligado nele?

— Claro que lembro! — Sorri, me recordando das histórias que ele contava, na época em que eu ainda ia até a casa dele jogar videogame.

— Ele está com câncer no pulmão. — O Adolfo fez uma cara triste. — Está se tratando, mas fiquei muito mal com isso. Às vezes ele passa vários dias internado. Eu quero ajudar e não posso. A única coisa que posso fazer é ler pra ele ou acompanhá-lo nas sessões de quimioterapia. É muito frustrante. E acabei descontando a minha frustração nos outros.

— Sinto muito, cara... De verdade.

Aquela revelação foi mesmo surpreendente. Eu nunca passei por nada parecido, mas não é muito difícil imaginar como deve ser doloroso ter um parente com essa doença. Eu me aproximei e segurei seu braço. Senti que ele tremia, tentando conter o choro. Eu o puxei para um abraço.

— Eu estava tão mal que queria agredir qualquer pessoa que aparentasse alguma felicidade. Estava me sentindo um lixo. Mas isso não justifica. Ninguém era culpado de eu estar daquele jeito.

— E como o seu avô está agora?

A minha mãe, que até aquele momento assistia a tudo calada, se aproximou e fez um carinho no ombro do Adolfo. Eu senti que ele se comoveu com a aproximação dela e até gaguejou quando respondeu.

— O tratamento está surtindo efeito, tia Marisa. — Ele sorriu. — O velho é guerreiro, vai vencer. Obrigado por perguntar. E eu parei de fumar, Zeca.

Minha mãe tentou consolá-lo:

— Vai dar tudo certo, confie. Vocês se conhecem há tanto tempo... Eu não gostei da briga que tiveram, claro. Mas vamos esquecer isso de uma vez? Se precisar de alguma coisa, basta telefonar.

— Obrigado, tia Marisa.

Ela sorriu e cumprimentou de longe a mãe do Adolfo, que estava chegando ao estacionamento.

— Precisamos ir agora. Fique bem, Adolfo. Eu me lembro com carinho de todas as vezes que você ficou lá em casa jogando com o Zeca. Espero que um dia vocês possam retomar essa amizade.

Ele não respondeu nada, apenas deu um sorriso constrangido. Olhou para todos nós, acenou e entrou no carro da mãe, que partiu logo em seguida.

Ficamos em silêncio, processando aquilo tudo. E seguimos quietos para a clínica. Fiz os exames e estava tudo bem. O médico só receitou analgésicos para as dores musculares.

Dias depois, eu já não sentia mais dor nenhuma. Fiz repouso forçado pela dona Marisa e fui muito paparicado pela Yasmin, Yohana e Júlia.

Enfim o dia 10 de junho havia chegado! Dia da final do campeonato de outono. Como o jogo era à tarde, fora do horário escolar, muita gente compareceu. Foi bem legal ver o pessoal torcendo! O jogo era contra o Colégio Afonso Marinos, e, pelo que o treinador falou, tínhamos muitas chances de ganhar a medalha de bronze. Primeiro haveria o jogo da disputa pelo terceiro lugar. Logo em seguida, viria a final, para saber quem levaria a medalha de ouro do campeonato de outono.

O clima era completamente outro. Não tinha aquele ar pesado do jogo anterior. Estávamos mais confiantes.

A partida correu tranquila, mas disputada. Foi a mais fácil de todas, na minha opinião. Todos nós jogamos bem e vencemos os oponentes.

E eu ganhei minha primeira medalha pelo basquete! Que sensação maravilhosa! Sabe quando você se esforça para conseguir algo e finalmente acontece? Não vou mentir dizendo que eu não queria ter ganhado a de ouro. Um lado meu, bem egocêntrico, gostaria de desfilar com o time pelos corredores do CEI exibindo nossas medalhas de vencedores do campeonato. Além do troféu, claro. Mas tudo bem. Vamos guardar energia para o segundo semestre e para o intercolegial. O treinador estava muito feliz, nosso colégio não ganhava medalhas fazia três anos!

Logo depois da disputa do bronze, houve o jogo do CAP contra o Marista. Foi uma partida bem difícil, mas o CAP venceu. Eu precisava reconhecer que o time era forte. Se a gente já não tivesse jogado contra eles, certamente perderíamos na final. E, depois da conversa com o Adolfo no estacionamento, percebi que aquela vitória representava muito para ele. Ele fez muitas cestas, jogou bem. Pedi para os garotos do time lhe darem uma nova chance e fomos cumprimentá-lo depois. A gente ia se esbarrar no próximo campeonato, e não tinha mais nada a ver ficar naquela desconfiança.

Como o jogo tinha sido no fim da tarde, meus pais conseguiram sair mais cedo do trabalho e foram me ver. Fazia muito tempo que eu não via os dois juntos, ainda mais em um jogo meu. Especialmente meu pai, que só trabalha e nunca consegue conciliar seus horários com os dos jogos. Eu olhava para a arquibancada e lá estavam as pessoas mais queridas da minha vida: meus pais, as doidinhas das minhas irmãs e a Ju.

Eu estava muito suado. Nojento mesmo. Tomei uma ducha rápida e troquei de roupa. A entrega das medalhas seria logo em seguida. Quando entrei na quadra de novo e a galera do colégio começou a gritar, meu coração bateu tão forte que pensei que meu peito fosse explodir!

Ficamos enfileirados e recebemos a premiação. Assim que fomos dispensados, encontrei minha família na saída lateral.

— Zeca, parabéns, meu filho! — Meu pai me deu um tremendo abraço. — Estou muito orgulhoso de você.

— Nem acredito que você está aqui, pai! — Minha alegria era tamanha que quase se igualou à de ter recebido a medalha.

— Precisamos comemorar a primeira medalha do Zeca jogando basquete! — Minha mãe estava eufórica. — Já que gostam tanto, vamos pedir pizza? — ela deu a ideia.

— Oba, vamos!! — Todo mundo aplaudiu.

— José Carlos, você está convidado. Venha comer com a gente.

De repente eu pensei ter entrado em um universo paralelo. Minha mãe tinha acabado de convidar meu pai para comer pizza lá em casa com a gente. Sabe há quanto tempo isso não acontecia? Nem sei dizer.

— Vou aceitar o convite! — ele falou, e minhas irmãs o agarraram pela cintura.

Quando chegamos, minha mãe abriu as janelas, as cortinas e colocou uma música bem baixinha. Eu, a Yasmin, a Yohana e a Ju nos olhávamos sem entender nada. Ficamos só observando os dois.

— Zeca, meu filho. — Minha mãe abriu a carteira e me deu o dinheiro. — Acho melhor você mesmo ligar para a pizzaria. Já que é o astro do dia, tem o direito de pedir seus sabores favoritos. Peça duas salgadas tamanho gigante e uma doce. Ah, e refrigerante.

Fui rápido em obedecer. Fiz o pedido enquanto observava meus pais conversando animadamente no sofá. Estava tão abismado com tudo aquilo que, quando terminei de fazer o pedido, falei para a atendente:

— Tchau, obrigado, beijo!

Isso mesmo. Eu mandei um *beijo* para a atendente da pizzaria. A risada foi geral. A Ju riu tanto que chegou a chorar e se contorcer toda no sofá.

— Que cara de pau! Paquerando a moça da pizzaria na minha frente!

Depois de muitas fatias de calabresa, portuguesa e banana com açúcar e canela, fiquei meio sonolento, largado no sofá.

— Bom, depois de uma farra como essa, esqueci que amanhã ainda é dia de trabalho. — Meu pai se levantou.

— Bem lembrado! Também tenho uma reunião bem cedo com fornecedores, e as crianças precisam arrumar as coisas para o colégio amanhã. — Foi a vez da minha mãe.

— Marisa, obrigado pelo convite. Foi muito bom estar em família novamente.

A palavra *família*, dita com certa ênfase, fez minha mãe corar. Minhas irmãs arregalaram os olhos e tentaram disfarçar a surpresa arrumando a mesa. Eu dei um abraço de despedida no meu pai, e minha mãe seguiu para o quarto sem comentar nada sobre aquela noite, que tinha sido quase mágica.

A Ju foi embora, minhas irmãs levaram os pratos e copos para a cozinha e fui me arrastando para o banheiro. Escovei os dentes e, quase sonâmbulo, me joguei na cama. Antes de cair no sono profundo, me lembrei da galera toda gritando na quadra. Eu podia muito bem ficar viciado naquilo...

em preciso dizer que no dia seguinte, no colégio, só se falava no campeonato de basquete. Gente que eu nem conhecia veio me cumprimentar. Preciso confessar uma coisa: é muito difícil não ficar meio metido com o sucesso repentino. Todo mundo sabe meu nome, que subi no pódio do campeonato. É preciso um baita esforço para o ego não bater na lua. Do jeito que falo, parece até que sou experiente e supermaduro e que concluí tudo isso sozinho. Sabe quem me aconselhou? Minhas queridas irmãs gêmeas. Pois é.

— Maninho, o sucesso está subindo à sua cabeça — a Yohana começou. — No início do ano você estava muito chato. Só vivia de cara amarrada, implicante. Quando entrou para o time e começou a namorar a Ju, melhorou muito, você não tem ideia! Mas, só porque se tornou famosinho no colégio, está se achando o tal.

— Eu, me achando o tal? Sério que estou assim? — perguntei, preocupado.

— Falta bem pouco. — A Yasmin estava séria. — Não tô dizendo que ganhar medalha de bronze é ruim. Você mereceu, se esforçou. Mas você ficou em terceiro lugar e está se achando. Imagina se fosse a medalha de ouro.

Saí do quarto delas contrariado. Fiquei com muita raiva. Mas, como dizem que a noite é boa conselheira, me acalmei, fui dormir e acordei meia hora antes do despertador. Pensei no que elas falaram e concluí que realmente tinham razão. Eu estava mesmo me achando. Fiquei me sentindo até meio ridículo. Eu, que tanto critiquei o Adolfo por ele andar com pose de metido pelo CEI, não poderia de forma alguma cometer o mesmo erro.

Almocei no colégio mesmo, pois tinha que fazer uma pesquisa na biblioteca. Cheguei em casa por volta das quatro horas da tarde e só pensava em desmaiar na minha cama, nem que fosse por uma hora. Quando passei pelo quarto das minhas irmãs, tomei o maior susto. A Yohana tinha cortado o cabelo na altura do queixo. E ainda fizera umas mechas roxas.

— Yohana, o que você fez?! — Invadi o quarto delas, e elas caíram na risada com o meu espanto.

— Não gostou, Zeca? — Ela levantou e bancou a modelo, desfilando pelo quarto.

— Gostar, eu gostei. Mas é que agora você está diferente da Yasmin.

— Mas essa é a ideia! — Ela voltou a se sentar. — Se somos duas pessoas diferentes, não justifica mais andarmos do mesmo jeito o tempo todo. Lembra que você conversou comigo durante aquela briga toda por causa do Cauã? Eu sempre quis fazer isso no cabelo, mas, como a Yasmin nunca queria, eu não fazia. Decidi cortar de uma vez.

— Eu achei que ficou ótimo! — A Yasmin aplaudiu, do jeito que elas fazem quando gostam de algo.

— A mamãe está sabendo disso? — perguntei.

— A nossa mãe é sócia de um salão de beleza, esqueceu? *Hello?* — A Yohana riu. — Foi lá que eu fiz.

— Ah, tá! Por um momento eu me esqueci disso. Quando eu digo que vocês duas ainda me deixam doido... Bom, eu queria aproveitar para agradecer pelo toque que vocês me deram.

— Que você estava muito metidinho? — A Yasmin riu. — Ufa! Que bom! E a Ju não merece um namorado com o ego do tamanho de uma roda-gigante justamente amanhã, né, Yohana?

— Ah, ela contou pra vocês? — Bateu ansiedade.

— Contou. Achamos o máximo, Zeca! — A Yohana me abraçou pela cintura. — Esse sim é o nosso irmão. A Ju vai perder o medo de andar de roda-gigante e vocês vão ter um dia incrível.

— Vai parecer até cena de filme! — A Yasmin se juntou ao abraço. — Estou morrendo com tanta fofura!

— Ai, chega, meninas! De metido para o rei da fofura, não. Menos.

Fui para o meu quarto e deixei as duas lá, rindo de mim.

No dia seguinte, nem preciso dizer como eu estava ansioso! Meu pai foi bem camarada e me deu um dinheiro para não fazer feio. Mas nada que eu pudesse esbanjar, claro. Comprei um vidro do perfume que a Júlia usa e pedi para a vendedora fazer um embrulho bem bonito. Vesti uma camisa azul, a cor que ela adora, e deixei a grana do parque de diversões reservada. Pagar meia-entrada já ajuda bastante! Lições forçadas de economia que estou tendo que aprender na prática.

Na hora combinada, às seis da tarde, fui buscar a Júlia. Ela estava linda, com um vestido branco com detalhes vermelhos. Tive que me segurar para não agarrar a minha namorada na frente dos sogros! Disfarcei meu entusiasmo e trocamos presentes. Ela mandou bordar um boné com o logo do time, meu nome e o número da minha camisa.

— Nossa, Ju! Caramba, os garotos vão se amarrar, ninguém tem um boné desses!

— E eu não sei? Exclusivo para o meu jogador preferido. E obrigada pelo perfume! O meu já estava acabando. Como você adivinhou?

— Na verdade eu não adivinhei. Fui bem egoísta na escolha do seu presente.

— Egoísta?

— Imagina se eu ia querer que você trocasse de perfume? Logo esse, que me deixa doidinho...

— Ai, que namorado bobo! — Ela riu.

— Hahaha! Deixa eu ir lá guardar o meu presente. Rapidinho! Você me espera na portaria?

— Tá bom, te espero lá.

Fomos para o parque de diversões, que fica a umas três quadras do nosso condomínio. Como um bom cavalheiro, paguei as entradas. Muitos casais tiveram a mesma ideia, pois estava bem cheio por lá. No ar, cheiro de pipoca e algodão-doce.

— Esse cheiro só serve pra tentar a gente! — ela reclamou.

— Lembra do que a gente combinou? É só não comer.

— Só não comer? — Ela fez uma cara muito engraçada. — Eu almocei cedo e nem água bebi até agora. Não tenho nada no estômago. Só ar.

Como tinha acabado de anoitecer, o parque estava todo iluminado. E, claro, a roda-gigante era o destaque. Era uma mistura de azul, vermelho e amarelo, cores que iam se alternando conforme ela girava. Quando segurei a mão da Ju, senti que estava gelada.

— Está arrependida? — me preocupei.

E ela estava muda. Totalmente paralisada na frente da roda-gigante. Era um contraste bem surreal, pois todo o resto do parque estava alvoroçado, e as pessoas se aglomeravam na fila, ansiosas para conseguir logo um lugar.

— Eu vou, Zequinha — a voz dela estava trêmula. — Vou acabar com esse medo besta de uma vez por todas.

— É seguro, fica tranquila. — Fiz carinho em seu braço. — A vista lá de cima é sensacional, você vai adorar. Deixa a Júlia de seis anos lá atrás. Hoje vai ser incrível.

O olhar dela era de pavor. Segurei o tempo todo sua mão, que continuava gelada, até chegar a nossa vez. Quando nos sentamos na cadeirinha, o funcionário do parque travou a barra de segurança. Estávamos bem presos, na altura da cintura, mas de uma forma que ficássemos confortáveis. Ventava um pouco, o que provocava um vaivém nas cadeiras e um pequeno ruído. Assim que a roda-gigante começou a girar, a Ju fechou os olhos e segurou minha mão com força. Eu fiquei admirado com como uma garota tão delicada conseguia ter uma força daquelas! Até que paramos bem no alto, e o visual era simplesmente incrível.

— Ju, eu juro que vai valer a pena. Abra os olhos — falei devagar no ouvido dela e beijei seus cabelos.

Ela não me atendeu na hora. Primeiro abriu o olho esquerdo, para aos poucos abrir o direito. Quando se deu conta do visual impressionante, ficou boquiaberta.

— Zeca! Zequinha! Eu tô morrendo de medo! Mas é lindo demais! — ela gritava. — Ahhhhhhhhhh! Eu estou na roda-gigante! Não acredito! Eu consegui! Que vista sensacional. Dá pra ver a cidade toda daqui de cima. E não estou enjoada. Estou feliz!

A minha namorada, que fala sem parar, estava de volta!

— Já falei que te amo hoje? — Ela me beijou, eufórica.

— Eu também te amo, Ju. — Eu não conseguia parar de rir da empolgação dela. — Era para ser romântico, e eu não consigo parar de dar risada por causa do seu jeito.

— Risadas podem ser românticas... Obrigada por ter vindo comigo.

A roda-gigante entrou em movimento outra vez. Foi demais assistir à Ju descobrindo, enfim, que um dos brinquedos mais famosos de todos os parques do mundo não era nenhum monstro de duas cabeças. E adivinha? Quando saímos, ela imediatamente entrou na fila outra vez. E de novo. Acabamos andando cinco vezes na roda-gigante.

— Zeca, esse foi o melhor presente do mundo! Sabe quando parece que você está mais leve? Por que eu perdi tanto tempo da minha vida com medo disso? — Ela me abraçou forte.

— Minha medrosinha linda. Opa! Desculpa. *Ex*-medrosinha.

— Você tem medo de alguma coisa, Zeca?

— Medo? Acho que não... — Fiz um esforço para tentar me lembrar de algo, mas não consegui.

— Que bom! — Ela sorria sem parar. — Que dia perfeito!

Ou quase perfeito. Lembrando os conselhos do meu pai, nem tentei reservar lugar em restaurante nenhum. Por causa disso, a mãe da Ju ficou de preparar um lanche para a gente. E jurou que nos daria privacidade: na varanda. A gente bem que tentou fugir disso, mas quem disse que deu certo? Ainda por cima, a sogra ficou de nos buscar na saída do parque.

Acho que mudei de ideia no que diz respeito a querer ser adolescente. Quanto tempo falta mesmo para eu fazer dezoito anos e poder ter meu próprio carro? Esconde a cara de vergonha! Ela estacionou bem na entrada do parque e gritou nosso nome, acenando de um jeito nada discreto.

Pais são muito contraditórios. Ela ficou de nos buscar por considerar que já era muito tarde para voltarmos a pé. No entanto, ao chegarmos ao condomínio, falou:

— Meus amores, fiquem à vontade e comam o lanche de vocês. Afinal de contas, ainda é cedo!

— Ai, Zeca, desculpa! Não sei o que deu na minha mãe. Que mico!

— Relaxa, Ju. Acho que, se fosse lá em casa, a minha mãe ia fazer a mesma coisa.

— O que ela quis dizer é que era tarde pra ficar na rua, mas ainda é cedo dentro de casa. Apesar dessa carona meio pagação de mico, adorei o dia de hoje... — a Júlia falou, chegando um pouco mais perto. — Nosso primeiro Dia dos Namorados! Com direito a beijo no alto da roda-gigante.

— Espero que o primeiro de muitos.

— Zequinha...

— Hummm?

— Será que o meu bolo com sorvete tem o mesmo gosto que o seu?

— Tudo indica que sim, mas... quer provar?

— Acho que sim.

Olhei para a sala. A mãe dela estava atenta à televisão e o pai cochilava. Voltei para a varanda, segurei entre as mãos aquele rosto que eu adorava e a beijei. Estar apaixonado era uma das melhores coisas do mundo.

— Zequinha...

— Hummm?

— Qual é o bolo mais gostoso?

— Acho que o seu... — Ri.

— Então deixa eu acabar de comer, pois o sorvete está derretendo! — Fez cosquinhas na minha barriga.

Fiquei com a Ju por mais uma hora. Quando voltei para casa, encontrei minhas irmãs fazendo maratona de séries e comendo pipoca.

— Cadê a mamãe?

— Cadê a mamãe? — repetiram, em coro. — Ela saiu. Em pleno Dia dos Namorados!

— O que é isso? Uma piada? — perguntei, sem acreditar.

— Se é uma piada, é de péssimo gosto — a Yasmin respondeu, revoltada.

— Tudo bem, esperem um pouco. Vamos analisar a coisa. A mamãe nunca sai. Acho que ela tem o direito de se divertir — tentei entender.

— Concordo — foi a vez de a Yohana falar. — Mas justo no Dia dos Namorados? E com quem?

— Será que a mamãe finalmente arrumou um namorado e não contou pra gente ainda? — A Yasmin se largou no sofá.

— Meninas, parem de drama! A gente não sabe de nada ainda. Vamos esperar a nossa mãe chegar. Ela não disse nem quem a convidou para sair? Pode ter sido uma amiga. Já tentaram falar no celular dela?

— Já! Só cai na caixa postal. — A Yasmin suspirou, revirando os olhos.

— Então vamos esperar — decidi. — Continuem vendo tevê. Vou para o meu quarto dar uma navegada na internet.

Já tinham se passado quase duas horas. Era madrugada. Até que o telefone tocou.

— Oi, Zeca, meu filho. Tudo bem? — ela berrava, pois a música estava alta do outro lado.

— Tudo bem, mãe. Onde você está?

— Estou em um lugar lindo! Você e suas irmãs estão bem em casa?

— Estamos. Elas estão vendo tevê.

— Ah, ótimo! Eu vou demorar. Não me esperem. Provavelmente só chego de manhãzinha. Boa noite, querido. Mande beijos para as suas irmãs.

E simplesmente desligou. A dona Marisa ia me explicar direitinho onde esteve. Ah, ia mesmo! Ela nunca tinha feito isso antes.

Acordei por volta das sete horas. Bem que tentei dormir de novo, mas não consegui. Ninguém tinha acordado ainda. Desci e fui à padaria. Quando voltei, minhas irmãs já estavam em pé. Arrumamos a mesa do café da manhã praticamente calados. Tomamos um susto quando a campainha tocou, mas era a Júlia trazendo bolo de fubá. Contamos que a nossa mãe ainda não tinha voltado. Ela ficou intrigada e resolveu esperar também.

— Não deve ter acontecido nada de mais. Ela avisou que só voltaria hoje cedo, não foi? — tentou nos acalmar.

Só uma hora depois é que ouvimos o barulho de chave na porta da cozinha. Nossa mãe enfim tinha chegado! Mas aí é que veio a grande surpresa: nosso pai estava junto!

— Que bom encontrar todo mundo reunido! — Ele estava todo animado. — Assim vamos contar uma única vez.

Estávamos os quatro paralisados. A cena dos meus pais chegando juntos, e de manhã, era quase surreal.

— Gente, parem com essa cara de espanto! — a minha mãe finalmente falou alguma coisa. — Temos uma surpresa para vocês.

— Zeca, Yasmin, Yohana... e Júlia... vocês devem lembrar que fomos chamados na coordenação logo depois daquela denúncia de vocês sobre o bullying. Aquela confusão toda depois da sua briga com o Adolfo. — Meu pai apontou para mim e puxou uma cadeira. — Fazia tempo que eu e a sua mãe não nos encontrávamos. Depois da conversa com a coordenadora, fomos tomar um café para conversar sobre a sua suspensão.

— Só que, depois daquele café, passamos a conversar mais. — A minha mãe também puxou uma cadeira e ficou ao lado dele. — De início era mais sobre vocês, mas logo vimos que a gente ainda podia se entender.

— Se vocês ainda se gostam, por que se separaram? — A Yohana estava com os olhos marejados. — Sofremos tanto com isso.

— Todos nós sofremos, filha... — meu pai falou. — Na época, como as coisas estavam, foi a melhor solução.

— Mas em três anos mudamos muito. O sofrimento muitas vezes nos ensina mais que as alegrias. Amadurecemos e vimos que o que havia causado a nossa separação não tinha mais razão — minha mãe explicou.

— Espera um pouco... O lance da minha suspensão já tem uns três meses — falei. — Vocês estão se vendo desde aquele dia? Por que só agora vieram falar com a gente?

— Estávamos com medo. — O meu pai deu um longo suspiro. — Só quando tivemos certeza de tudo, de que não traríamos mais sofrimento para vocês, é que resolvemos contar.

— E resolveram isso ontem, no Dia dos Namorados? — A Yasmin estava chorando. — Papai, você vai voltar pra casa?

— Sim, filha... — Ele sorriu para a minha mãe e segurou sua mão. — Muito em breve vou voltar a morar com vocês.

A cozinha virou uma choradeira. Eu nem podia acreditar que teria a minha família junta novamente. Como meu pai fazia falta!

O dia foi uma grande festa! Muita música e risadas. Num canto da sala, abraçado com a Ju, eu observava as minhas irmãs mostrando passos de balé para os meus pais. E me lembrei da pergunta que ela havia feito no dia anterior.

— Lembra quando você me perguntou, no parque, se eu tinha algum medo? — falei, enquanto beijava seus cabelos.

— Claro.

— Quando os meus pais se separaram, o divórcio foi a minha grande roda-gigante, se é que posso chamar assim. À noite eu tinha medo. Mas o meu pai, antes de sair com uma mala grande de casa, se virou para mim e disse que eu era o novo homem da casa, e que ele confiava em mim para tomar conta das minhas irmãs. Então eu sufoquei esse medo para não decepcioná-lo.

— E agora? O medo foi embora? — Ela me abraçou forte.

— Agora eu não sinto medo de nada. De absolutamente nada... Preciso fazer uma coisa. Você me espera aqui?

Beijei a Ju e olhei novamente para os meus pais e minhas irmãs. Aquele era o primeiro dia de uma nova fase.

Fui rapidamente ao quarto e peguei aquela folha de papel com as "coisas que preciso entender". Tantas dúvidas. Tantos por quês. Eu não precisava mais dela. Resolvi rasgar a folha em pedaços bem pequenos. Foi um alívio quando joguei tudo na lata do lixo.

Eu menti para a Ju quando disse que não tinha medo. Quando fiz a lista, eu estava confuso demais. Tive medo de como meu corpo estava mudando. Tive medo de me apaixonar pela primeira vez. Tive medo de me declarar para a Júlia. Tive medo de não passar no teste para o time de basquete. Tive medo de nunca mais ter a minha família junta de novo. Tive medo de crescer.

Eu ainda não entendia muitas daquelas coisas, era verdade. Mas e daí? Eu sempre ia ficar sem entender algo. Eu tive medos.

Tudo bem. Afinal, faz parte do crescimento. Ainda viriam muitos medos pela frente, mas eu teria que enfrentá-los. Assim como enfrentei vários dos que estavam naquela lista.

Na minha mente, eu teria ainda muitas confusões. Confusões de um garoto. E um dia teria confusões de um homem. Tudo bem. Eu estava ansioso para conhecer todas elas.

Conheça a Série As Mais

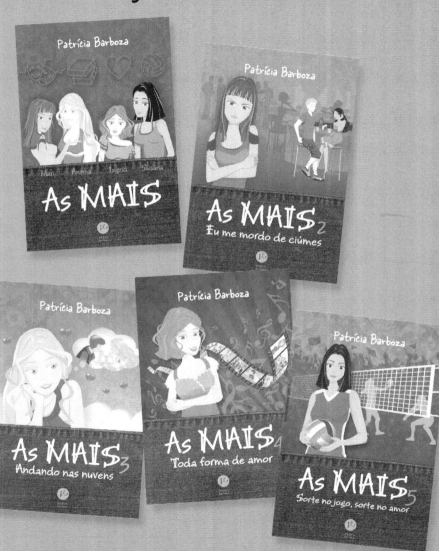

Confira o blog das mais: www.blogdasmais.com

CONFIRA TAMBÉM

CONHEÇA O BLOG DA AUTORA!
ACESSE: PATRICIABARBOZA.COM

Este livro foi impresso no
Sistema Digital Instant Duplex da Divisão Gráfica da
DISTRIBUIDORA RECORD DE SERVIÇOS DE IMPRENSA S.A.
Rua Argentina, 171 - Rio de Janeiro/RJ - Tel.: (21) 2585-2000